冷静と情熱のあいだ

Rosso

江國香織

角川文庫
12126

目次

Illustration●CHIZU TAKAGI

冷静と情熱のあいだ

Rosso

阿形順正《あがたじゅんせい》は、私のすべてだった。

あの瞳《ひとみ》も、あの声も、ふいに孤独の陰がさすあの笑顔も。

もしもどこかで順正が死んだら、私にはきっとそれがわかると思う。どんなに遠く離れていても。

二度と会うことはなくても。

第1章　人形の足
piedi della bambola

怖い夢をみた。

怖い声に追いかけられる夢。声はすこし嗤《わら》っている。声には私の行動などすべてわかっているのだ、と、私にはわかる。どこへ逃げても声はすぐうしろに迫っていて、頭に息がかかるような気さえする。いまにも肩をつかまれそうだ。私は怖くてふりむけない。胸をつきやぶりそうな動悸《どうき》。いつでもつかまえられるのに、声は私をつかまえない。

目がさめて、しばらくじっと天井をみていた。部屋いっぱいに生息している夜の闇《やみ》。隣で眠っているマーヴの、規則正しい寝息がきこえる。

いやな夢だ。目がさめても、体のあちこちになまなましく感触が残っている。

大丈夫。私は力をぬき、両手で顔を蔽《おお》う。足先をのばし、シーツのつめたい部分に触れてみる。大丈夫。ただの夢なのだから。

ベッドからおりて、ビーズ刺繍《ししゅう》つきの赤いサテンのチャイニーズシューズに両足をつっこむ。小さすぎる、と、いつもマーヴにからかわれる足だ。まるで人形の足だ、と、マーヴは言う。とても生きた人間の足とは思えない、と。でも、マーヴは私の足を気に入っているのだ。赤いチャイニーズシューズもマーヴからの贈り物だ。

チャイニーズシューズは足音がたたないので便利。私は寝室をでて台所にいき、黒いスティールパイプの椅子《いす》に腰掛ける。台所にいると落ち着くのはどうしてだろう。すべて収まるべきところに収まり、清潔に磨きあげられた台所。週に一度、プロがやってきて窓ガラスまで磨いていってくれる。

オーヴンのデジタル時計は午前二時八分を表示している。静寂。私は下をむき、自分の足と、床の大理石の模様を眺める。子供じみた単純さで。

ベッドに戻ると、マーヴが目をさました。

「アオイ？」

どこいってたの、と、ねむたそうな声で訊《き》く。寝返りをうって、大きな身体をこちらにむける。

「なんでもない」

私は言い、マーヴがのばした両腕のなかに入る。あたたかな場所。

「ごめんなさい。起こしちゃった？　のどがかわいたからお水をのんできたの」

私はマーヴの胸に鼻をうずめた。やわらかなパジャマの感触と、体温と肌の匂《にお》い。マーヴはすでにもう寝息をたてていて、私は身動きができない。たっぷり二分待ってから、マーヴの腕の外にでる。

昼下りのカフェの賑《にぎわ》いは、この街で私の苦手なものの一つだ。そこらじゅうのおしゃべり、トレイに盛られた小さなお菓子、ウェイターのきびきびした動き、煙草のけむり。

「ママがあなたにすごく会いたがってるの」

ダニエラが言う。鳶色《とびいろ》の瞳、ゆるくウェーブのかかったおなじ色の髪。

「勿論《もちろん》パパも弟もよ。最近ちっとも顔をみせてくれないんですもの」

「ごめんなさい。アンジェラのことでばたばたしてたから」

私は言い、小さなカップのコーヒーを啜《すす》る。マーヴの言う、「泥のように濃くてにがい」コーヒー。

「嘘《うそ》」

そのコーヒーに一袋すっかり砂糖を入れ、スプーンでかきまぜながらダニエラは言った。

「アンジェラが来る前からじゃない」

何気ないふうを装ってはいても、傷ついていることのわかる声だ。私は返事ができない。ダニエラは大柄で、長い脚をしている。膝《ひざ》から下はとくに細くてかたちがいい。豊かな上半身に比して不釣合なほど細い顔の持ち主でもある。

「彼女、いつまでいるの？」

沈黙に耐えかねて、声の調子をきりかえてダニエラが訊いた。

「さあ」

私はわずかに笑ってみせる。

アンジェラはマーヴのお姉さんだ。離婚して、一カ月前からミラノにいる。ちょっとした傷心旅行だよ、とマーヴは言うけれど、いっこうに帰るそぶりはない。もっとも、一カ月のうち半分以上はローマだのヴェネツィアだのにでかけて留守だったのだけれど。

「マーヴに問いただすべきよ」

ダニエラは言う。ぽっちゃりした上半身と、品のいいお嬢さんふうの雰囲気のせいで、このひとは実際の年齢よりも若くみえる。ういういしいといってもいいくらいだ。率直な人柄も、相手が好感を抱かずにはいられない笑顔も。

「なぜ？」

私は首をかしげた。

「なぜ、ですって？」

ダニエラはくるりと目をまわしてみせてから、テーブルに身をのりだす。金色のネックレスがコーヒーカップに入りそうになる。

「このまま居すわられちゃったらどうするの？　それに、これじゃあヴァカンツァの予定もたてられないじゃないの」

私は首をすくめた。居候という意味では、私もおなじだからだ。

マーヴと暮らし始めて一年ちょっとになる。彼は店で私を見初《みそ》め、再三デートに誘ってくれた。店というのは私が働いているジュエリー屋だ。いまは週に三日のパートタイムだけれど、あのころはフルタイムで働いていた。お金持ちのアメリカ人。はじめはそう思っただけだった。いつもシャワーをあびたあとのような匂いのする大男。

「きみの意見は？」

いくつか品物をみせると、マーヴは最後にかならずそう訊いた。三十八歳で独身、ペンシルヴァニア州出身。ワインの輸入をしている（子供のころは教師になりたかったのに）というマーヴは、論理的で相手の目をみて話し、しかもウィットに富んでいた。イタリア人にはない種類のウィットだと思った。食事の誘いを断り続ける理由はなかったし、実際、デートはいつもたのしかった。マーヴのインテリジェンスは私を安心させる。じきに私はテゾーロ《宝物》と呼ばれるようになり、そこから一緒に住み始めるまでに、たいして時間はかからなかった。

「ママをがっかりさせるつもりじゃないでしょうね」

ダニエラが言う。

「まさか。近いうちによろこんでうかがうわ」

私はこたえ、残りのコーヒーをのみほした。

おもては晴れて、あかるかった。ブレラにショッピングにいくというダニエラと別れて、私は図書館にいく。返さなくてはならない本が八冊、車に積んであるのだ。

アパートに戻るとバスタブにお湯をはった。古めかしい外観とはうらはらに、完璧《かんぺき》に温度調節がされ――正直なところ完璧以上だ。夏は寒くて冬は暑い――、クラシックな家具がひかえめに配されたこの高級アパートで、私がいちばん気に入っているのがバスルームだ。他の部屋にくらべるとひどく簡素で、窓をあけると小さなベランダごしに柳並木の裏通りがみえる。狭い路地なのに、両側に車がぎっしり路上駐車している。

私は夕方お風呂《ふろ》に入るのが好きだ。まだ空気にあかるさの残っている時間。仕事のない水曜日と金曜日には、たいてい夕食の仕度までお風呂場にいる。マーヴがしょっちゅうジムにいくのと一緒。ただ、ジムとちがってお風呂は無為だ。

白いコットンセーターとジーンズを身につけて、台所で本を読んでいるとマーヴが帰ってきた。

「ただいま」

頬《ほお》にキスをして言う。

「また勉強をしているの？」

「勉強じゃないわ。ただの小説よ」

私は図書館で借りてきた本の表紙をみせる。台所には野菜スープの匂いが漂っていて、私にはマーヴが満足しているのがわかる。


翌日は木曜日だったので、仕事のあとでチェントロに映画を観にいった。オーストラリア映画だ。マーヴとダニエラ、ダニエラのボーイフレンドのルカと四人でいった。木曜の夜はよく映画を観る。映画館はひどく混んでいるのだけれど、ダニエラもルカも、その方がいいと言う。すいた映画館などわびしくてちっとも幸福じゃない、のだそうだ。それに、おなじ週末でも金曜日からはやっぱり郊外にでたいじゃない、と、ダニエラは言う。私にもマーヴにもそれはよくわからない。二人とも、いつもの場所でゆっくりできる方が好きだから。土曜日、マーヴはきまってジムにいき、私は昼まで寝坊する。

いずれにしても、ここのひとたちはみんなダニエラのように考えているらしく、木曜の夜の映画館はとてもにぎやかだ（マーヴと私はロビーの雑踏にさえひるんでしまう）。

ノヴェチェントも予約客でいっぱいだった。ここはマーヴの気に入りの店で、電話をしておけば窓際のテーブルをあけておいてくれる。ウェイターの一人一人に活気があり、店の喧噪《けんそう》が食欲を刺激する、数少ない店の一つだ。

「あの女優きれいだったわね」

ダニエラが言い、

「妙なラストシーンだった」

と、ルカが言った。ルカは背が高くて痩《や》せている。つつましい量しか食べないが、ワインはいつもたっぷりのむ。赤ワインは体にいいと信じているのだ。

「昼間オフィスにアンジェラから電話があったよ」

私のお皿に野菜サラダをとりわけてくれながらマーヴは言う。

「あさってこっちに戻ってくるそうだ」

「そう」

私はにっこりしてみせた。

「ローマはどうだったって？」

「気に入ったらしい。テヴェレ沿いを毎日散歩してるって」

目に浮かんだ。おくれ毛をものともせずに髪を結い、サングラスをかけて地図を片手に歩くアンジェラ。複雑に重ね着したシャツ、土産物屋の軒先を、一つずつのぞいている姿。

「ここにはどのくらい滞在されるの？」

ダニエラが訊いた。詰問とはいわないが、かなり意志のこもった質問の声だ。彼女なりの正義感なのだろう。

「さあ、さっぱりわからない」

マーヴは屈託のない口調で言った。

私は窓の外をみる。街灯のあかりにてらされて、街路樹の緑がにじんでみえる。

「この前観たやつの方がおもしろかったな」

唐突にルカが言った。

「この前のって、精神病院がでてくるやつ？」

ダニエラは鼻にしわをよせる。信じられない、という顔だ。

「私はどっちみちこの監督が好きじゃないんだわ、たぶん」

傷ついたような口調だった。ルカは苦笑してダニエラの肩を抱きよせる。私はサラダをフォークでつつく。

うちに帰ると、マーヴはバスタブにお湯をためてくれた。

「バスソルトは？」

「いれない」

それから、お湯がたまるまでのあいだ私の首を揉《も》んでくれる。バスタブのへりに腰掛けて。

「イタリア語は苦手だ」

「とても上手よ」

私の友人といるときのマーヴは、たしかにすこし無口だ。

「ダニエラの英語よりずっときれいじゃない？」

マーヴは手をとめて、私の顔をじっとみる。心外だ、という表情。

「ぼくのイタリア語はあんなふうなの？　文章っていうより、なんていうか抑揚のついた単語の羅列みたいな？」

私はつい笑ってしまう。

「勿論《もちろん》全然ちがうわ」

「Good」

マーヴは小さい声で言い、再び手を動かす。

マーヴはマッサージがとても上手だ。首から肩、背中、頭。私はマーヴの膝《ひざ》からすべりおちないように気をつけながら、目をとじてじっとしている。どうどうとお湯の迸《ほとばし》る音を背後にききながら。

「いい気持ち」

うっとりと言った。ゆっくり揉みほぐされていく。湯気の匂《にお》い、くもっていく鏡。

「アンジェラのこと、ごめんなさい。ダニエラに悪気はないのよ」

「わかってる」

マーヴは言う。マーヴの手は大きくて、私の額をすっかり包みこんでしまう。こめかみに加えられる気持ちのいい圧力、腕時計の音。

「ありがとう」

私は立ちあがり、お湯をとめた。あたりは急にしんとしてしまう。

「一緒にはいる？」

なんとなくそう言わなくてはいけないような気がして言ったが、ほんとうはそうしたくなかった。マーヴは微笑《ほほえ》む。

「いいや、遠慮しておく。ゆっくりはいるといい」

私はもう一度、小さな声で、ありがとう、と言った。

「どういたしまして」

マーヴは言い、額にキスをしてくれる。

みんなが——みんなといってもマーヴは別だ。マーヴは別だけれどそれ以外のみんなが——私をあつかいにくいと思っていることは知っている。いつだったか、ダニエラははっきり言った。

「アオイはかわったわ」

冬で、私たちはトラムに乗っていた。ダニエラの黒い革の手袋が、焼き栗の袋をつかんでいたことを憶《おぼ》えている。

「人をよせつけなくなった」

私は窓の外をみていた。曇って、いまにも雨かみぞれがおちてきそうな気配の空で、トラムはトリノ通りをがたがたとつきすすんでいた。

「きいてるの?」

　ダニエラは六歳のときからの親友だ。最初に通った小学校でおなじクラスだった。

「あなたが日本の大学にいくと言いだしたとき、やっぱり反対すればよかった」

　毎週水曜日には、放課後一緒にバレエのレッスンに通った。ダニエラのお稽古《けいこ》バッグ、黒いレオタード、鼻の頭にういたそばかす。その後私は別の小学校に移ったのだけれど、ダニエラとはずっといちばん仲がいい。母親どうしが親しかったせいもあるのだろう。互いの家に、随分頻繁に泊りにいった。

「四年間だもの」

　トラムの揺れにそなえて両足をこころもちひらき、窓の外をみたまま私は言った。

「四年もたてば、誰だってすこしはかわるでしょう?」

　ダニエラはなにも言わなかった。

　服を脱ぎ、髪を頭の上にとめつけて、私はバスタブに体を沈める。透明であたたかなお湯ごしに、自分の肌がゆらゆらしてみえる。

　ジュエリー屋は、街の中心からすこしはずれた場所にある。センピオーネ公園の西側、住宅地の一角だ。アパートから、歩いて十分もかからない。小さな店で、ジーナとパオラという老姉妹が経営している。もっとも、実務は最近ジーナの息子がひきうけており、そのせいで店のカラーもすこしかわった。オリジナルのジュエリーを置き始めたのだ（これがじわじわと人気を集め、彼は夏に二軒目の店をオープンさせる）。もともとはアンティーク・ジュエリーの店だ。ジーナとパオラの買いつけてくるアンティークはすばらしい。一つ一つが物語を喚起する。装身具は、愛された女性の人生の象徴だと老姉妹は言う。私はフェデリカをおもいだす。

店の奥の工房では、パオラの孫のアルベルトが働いている。アルベルトはナイーヴな若者で、ぬけるように白い肌をしている。オリジナルのジュエリーが成功したのは彼のセンスと技術のせいだ。

私は、ここで週に三日売り子をしている。ミラノに戻って半年後に働き始めたので、もうすぐ三年になる。私自身はジュエリーをつけないが、一度だけ店の品物を買ったことがある。青いエナメルと小さなパールを組みあわせたシンプルな指輪で、一目で好きになった。一九二〇年代のものらしい。よく似合う、と、ジーナが言ってくれた。

きみは老嬢と気が合うんだね。

マーヴはそう言ってわらう。そのとおりかもしれない。

お昼休みは二時間あるので、たいてい一度アパートに戻る。マーヴと待ちあわせて食事をすることもある。公園でサンドイッチを食べることもある。

夕食のあと、食器をゆすいでいると、マーヴが私の髪に鼻をうめにきた。私はそうやってうしろから抱きしめられるのが苦手だ。安心してしまいそうになる。マーヴが耳たぶをかむので上手《うま》く洗いものができない。

「おとなしくして」

私が言ってもマーヴはきかない。

「皿なんかあとにすればいい」

私たちは寝室にいく。

和紙のランプシェイドはマーヴが特別注文したもので、部屋全体にやわらかなあかりを投げる。しずかなあかり。マーヴは秩序を重んじる。私はマーヴのふくらはぎが好きだ。きれいに発達した筋肉。私たちはゆっくり愛しあう。マーヴはくりかえしやさしく私の足指を噛《か》む。はちみつを舐《な》めとるくまのように。私は目をとじて、自分が砂浜の砂になったような気持ちになる。

ゆすいだ食器をすべてディッシュウォッシャーに入れ、台という台を拭《ふ》き、最後にシンクを磨いて私は椅子《いす》に腰掛ける。オーヴンのデジタル時計は午前零時五十九分を示している。マーヴとのセックスは幸福だ。みたされない理由は一つもない。

土曜日はお昼まで眠った。

目がさめるとマーヴはジムにでかけたあとで、私はコーヒーをのみ、ソファにクッションを積み重ねて本を読んですごした。

五月のミラノはとてもあかるい。ほかの街にくらべてではもちろんない。ほかの月にくらべてだ。秋から冬までがほんとうにながく、くる日もくる日もつめたくくすんでいるので、それに慣れていると、ふいに訪れる五月がびっくりするくらいあかるく思えるのだ。母は、ミラノの初夏が好きだった。

大きな鞄《かばん》を二つ――財布や手帖《てちょう》やエビアン水が、がちゃがちゃとつめこまれたコーチのショルダーバッグのほかに――抱えてアンジェラが帰ってきたのは、日ざしの弱まりかけたころだった。

「ハイ、ハニー」

ドアに鞄をぶつけながら入ってきて微笑む。複雑に重ね着したシャツ、衿元《えりもと》のサングラス。

「おかえりなさい」

私たちは抱擁をかわし、頰《ほお》にキスをしあう。

「マーヴィンは?」

客用寝室に荷物を運びおわると、私たちは居間でお茶をのんだ。

「ジム。やり残した仕事があって、そのあとそのままオフィスにいくっていってたから」

「そう」

「電話してみる？」

アンジェラはきれいだ。すこし痩《や》せすぎのきらいはあるけれど、エネルギッシュで野生のシカみたい。

「いいえ、いいの。でもありがとう」

片脚を折りたたんでソファに腰掛けて、いかにもリラックスして紅茶を啜《すす》る。細い脚を包むストレッチパンツ、腰にまいたピーチカラーのコットンセーター。

「ローマはどうだった？」

窓からの西日を顔と髪の半分にうけて、アンジェラは紅茶茶碗《ぢゃわん》に視線をおとし、

「すばらしかった《FABULOUS》」としずかに言う。

「いったことある？」

「ええ、何度か」

子供のころ、両親に連れられてあちこち旅行した。

「最後にいったのはいつ？」

アンジェラの瞳《ひとみ》がマーヴのそれとそっくりだということに、私ははじめて気がついた。深い、落ち着いた茶色の瞳。

「十年くらい前かしら。高校生のときに、仲のいい友だちと」

アンジェラはうなずいた。

「きっとそのときとおなじローマね」

私が視線をあげると、アンジェラは質問に先まわりをするように、

「時の流れがおそろしくゆっくりだもの」

と言う。おそろしく、に力をこめて発音した。

「興味深い国だわ」

それから、私たちは黙ってそれぞれのお茶をのんだ。たぶん、それぞれ全然別のことを考えながら。

マーヴが帰ってきたのは八時をすぎてからだった。

「おかえり、アンジェラ。たのしかったみたいだね」

こんなふうに休日に出勤し、一日働いてきたような日でさえも、マーヴはぱりっとしてみえる。

「ただいま、アオイ」

アンジェラにしたキスとはあきらかにべつの、気持ちのこもったキスをしてくれる。

軽く夕食をすませ、三人でバールにくりだした。アンジェラがそうしたがったのだ。私とマーヴはめったにそういうことをしない。

「なあに？　ここは象牙《ぞうげ》の塔なの？」

眉毛《まゆげ》をひゅっと持ち上げて、アンジェラはそう言った。


翌週は雨つづきだった。

ウインドウガラス越しに、街が雨に濡《ぬ》れるのを眺める。

「お客のいないときは本を読んでいてもいいのよ」

いまでも日に一度は店に顔をだすパオラが言った。雨はきりもなく降っている。強くはないが、空気にからまりおちて永遠にやみそうもない雨、世界を檻《おり》にとじこめようとするかのような雨だ。雨は私を無口にさせる。おもいだしたくないことばかりおもいだしてしまう。

午前中は、古い顧客が一人立ち寄ったほかお客らしいお客は来なかった。

「肌寒いわね」

パオラが言う。

雨の日は、工房の匂《にお》いが普段よりもつよく漂う。薬品のような、ぬりたてのまっ白い壁のような、つめたくてなつかしい匂い。

「こうお天気がわるいと気が滅入《めい》るわ。ジーナも不機嫌で困るの」

窓の外を、犬をつれた女の人が横切る。犬はレインコートを着ていた。七十歳をすぎたジーナは、もうめったに店にでてこない。

「お元気ですか。しばらくお会いしていないけれど」

私が訊《き》くと、パオラはわらった。

「元気ですとも。毎週一度は美容院にいっているくらい」

雨は依然として降りつづいている。

マーヴのすぐれた点の一つは、約束に遅れないことだ。きょうもお店を閉める七時半ぴったりに、店の前にジャガーを横づけにした。急な約束だったにもかかわらず。

店に入ってきたマーヴは、雨と新鮮な外気の匂い。

「まにあったかな」

声に笑みを含ませて言う。穏やかで明晰《めいせき》なマーヴの口調。迎えにきてほしいと、昼間オフィスに電話したのだ。

「わざわざごめんなさい」

助手席にすわると、私は恥ずかしくなってそう言った。歩いて十分の距離なのだ。

「なぜ?」

マーヴはたのしそうに言う。

「だから僕は雨が好きなのに」

マーヴの車は車高が低くて足元がひろい。地面に近い気がして気持ちがいい。

「僕のテゾーロは雨が降るとわがままを言うからね」

すこしドライヴする？　と、マーヴが訊き、私はすぐにうなずいた、雨の夜のドライヴは大好きだ。

私たちは、高速道路を三十分ほど走った。フロントガラスを流れてとぶしずく。

「アンジェラが心配してるわね」

大丈夫、と言ったマーヴの声はあいかわらずゆるぎがなくて、私はふいに、苦しく欲望をかきたてられてしまう。

「マーヴ」

きてくれてありがとう、と、私は言った。

「どういたしまして」

じっとすわって前をむいたまま、私は雨を眺めているふりをする。

第2章　五月《maggio》

雨は、もう四日も降りつづいている。

目がさめて寝室がうす暗く、水音がきこえるとぐったりしてしまう。雨は好きじゃない。昼間こうして部屋のなかで本を読んでいても、膝《ひざ》の裏に触れるソファの質感が水を含んでいるし、頁をめくるたびに湿った紙の匂《にお》いがする。図書館の本はとくにそうだ。ギンズブルグの乾いた文体でさえも。

さわさわと耳を濡らす雨の音。

「本ばかり読んでいるのね」

今朝、アンジェラが言った。今朝といってもお昼ちかかったのだが、朝寝坊のアンジェラは起きたばかりで、昨夜化粧をおとさずに眠ってしまったとみえ、目の下にところどころとけたマスカラがついていた。

「ニッポンの文学？」

「いいえ」

私は表紙がみえるように本を閉じ加減にして、読みさしの頁に指をはさんで持ちあげてみせる。『LA CITTÀ E LA CASA』イタリアの現代小説だ。

「マーヴィンが言ってたわ。あなたは日本の大学で日本文学を学んだって。修士号をおさめたって」

私は肩をすくめた。

「かじっただけよ」

今度はアンジェラが肩をすくめる。アンジェラはディスカッションが好きだ。絵画や彫刻、文学や演劇や建築について読み、あるいは実際にその場所を訪れて眺め、それについて語るのが好きだ。

「お茶をいれましょうか」

私が訊《き》くと、アンジェラは首を横にふった。

「いいの。朝は食欲がないから」

部屋のなかはおもてとおなじように暗く、なにもかもが水音にとじこめられていて、そのことが私たちを奇妙に正直にしていた。私は、アンジェラにとって得体の知れない東洋人の女――弟のガールフレンド――である自分を思った。

「マーヴィンは別のことも言ってたわ。雨の日のあなたは機嫌がわるいって」

生憎、そのとおりだ。

「ごめんなさい、読書を中断させちゃったわね。本に戻ってちょうだい」

アンジェラが言い、私はそうした。

時計をみると四時だった。マーヴとの約束は七時だ。私は本をとじ、バスタブにお湯をためる。夕方のお風呂《ふろ》は、自分がきちんとした社会生活をしていないことを思い知らされるので好きだ。いまの自分に相応《ふさわ》しい行為のような気がする。

お風呂あがり、仕度をしながらレコードをかけた。ラヴェル。子供を主人公にしたオペラだ。マーヴは、デジタル音ではなくレコードの音を好む。

アイスグレイの下着にほんのすこしだけ香水をつけ、たっぷりした黒のパンツスーツに、薄い水色のブラウスをあわせた。髪にブラシをあて、太いかかとの、かっちりした靴をはく。あけ放した扉窓から、水気を含んだつめたい空気が流れこんでくる。

つめたく湿ったミラノの空気。子供のころから知っている、親しい、その霧と霧雨の匂い。もう肺にしみついている。

仕度をしながら缶ビールをのむ。ベランダにでるとグレイにけむった狭い通りがみえ、両側にぎっしり路上駐車した車という車が、雨に濡れてしずかにひかっている。

マーヴは、約束の時間ぴったりに戻ってきた。

「Perfect!」

私をみるなりにこやかに言う。

「とてもきれいだ」

私たちはそのまま中央駅のそばのホテルに、ゲストのピックアップにむかった。

「君からということにしてくれ」

後部座席に置かれた箱を示してマーヴが言う。たぶんまたワイングラスだ。

「いいわ」

こんなふうにマーヴの接待に同席するのはめずらしいことじゃない。ホテルに着くまでの車のなかで、私はきょうのゲストの名前や会社名、家族構成なんかを頭にいれる。


うちに帰ると十二時をすぎていた。アンジェラが居間でテレビをみていたが、私たちが帰ると部屋にひきあげてしまった。

「マーヴ」

シャワーのあと、腰にバスタオルをまいただけの恰好《かっこう》でパソコンをいじっているマーヴの背中に私は言った。

「マーヴ」

なに、と返事はするくせに、マーヴはなかなかふりむかない。私は黙って待つことにした。雨は依然として降りつづいている。

「呼んだかな」

たっぷり二分待たせてマーヴはようやくふり返る。ミュータント・タートルズみたいな胸板。

「呼んだわ」

「なにかな」

コンピューターのスイッチを切り、ベッドにすべりこんでくる。

「フェデリカのことを話したの、憶《おぼ》えてる？」

「勿論《SURE》」

私はベッドからでて、抽出《ひきだし》からマーヴのパジャマをとってきた。

「子供のころの君をかわいがってくれたおばあさんだろう？」

パジャマに袖《そで》を通しながら言う。

「そう。週末、ひさしぶりに会ってこようと思ってるんだけど」

「それはいい」

再びベッドをきしませて、パジャマ姿のマーヴが隣に横たわる。石けんの香り。

「で、今度は僕を紹介してもらえるのかな」

一度会ってみたいと、マーヴは前から言っている。フェデリカもマーヴに会いたがっている。

「ちがうの」

私は言った。

「週末、あなたはアンジェラとでかけたらどうかなと思って。たまには姉弟二人ででていうのも必要でしょう?」

マーヴは苦笑する。

「上手《うま》い理由を考えたね」

こういうとき、マーヴは決して傷ついた顔をしない。

「でもいいよ。君がそう言うのなら、アンジェラにきいてみるよ」

「きくんじゃなく誘って」

私はマーヴのやさしさにつけこんでいる。

「わかった。誘ってみよう」

マーヴは私をうしろから抱きすくめ、首すじに顔を埋める。私は背中にマーヴの胸を、膝の裏にマーヴの膝を感じる。そして、マーヴが寝息をたてるまで、そのままの姿勢でじっとしている。

私はなかなか寝つけなかった。雨の音が耳につく。昔、眠れない夜には母が数え唄をうたってくれた。はてしなくながい唄。

ひとつとや　ひと夜あければにぎやかで　にぎやかで　おかざりたてたり　松かざり
松かざり

ふたつとや　ふた葉の松は色ようて　色ようて　さんがいまつは　かすがやま　かすがやま

日本の大学で、この唄を最後まで知っている学生にはついに一人も会わなかった。そんなものなのかもしれない。

「いい唄だね。最後まで教えて」

そんなふうに言ったのも、おなじ帰国子女の順正《じゅんせい》だけだった。かわりに、中国人のお手伝いさんに教わったというもの哀しい歌を教えてくれた。きれいな声をしていた。

私は起きあがり、マーヴの寝顔をじっとみつめた。がっしりしたあご、かすかにのびているひげ、ながいまつ毛。私を好きだと言うマーヴ、いま、現実に目の前にいて、私を抱きしめてくれるマーヴ。眠っているマーヴに足をからませ、肩のくぼみに顔をこすりつけてみる。マーヴの体温、マーヴの匂い。マーヴは、人の心のなかまで立ち入って、すべて知ろうとしたりしない。気の立った針ねずみみたいになったりしない。この世のおわりみたいに悲しい顔をして、私を無言で非難したりしない。

雨は、私に東京を思いださせる。

目がさめるとマーヴの腕のなかにいた。雨はあがっている。窓をあけると空気が澄んで、ひさしぶりに光の粒を含んでいた。

朝食のあと、一時間ほど早目にアパートをでた。サンタマリア・デッレ・グラッツィエ教会の中庭は、ミラノじゅうで私のいちばん好きな場所だ。四本の白木蓮《はくもくれん》と四匹の蛙が、噴水をとり囲んでいる。幾何学的に配された緑。回廊の石壁に腰掛けて、小説のつづきを読んだ。みんながすこしずつ不幸になっていく物語。

マーヴのアパートがこの教会のそばだと知ったときには嬉《うれ》しかった。毎日散歩に来られると思った。マーヴは教会が好きじゃないので、それも都合がいいと思った。一人になりにくる場所。石壁はきのうまでの雨を吸ってひいやりと湿っていたけれど、五月の太陽にそそのかされて、気のはやい観光客は短パンにサングラスという恰好でうろうろしている。入場制限つきの元の食堂——「最後の晩餐《ばんさん》」が飾られている——の入口には、すでに行列ができているはずだ。私は本をとじ、クーポラを見上げる。澄んだ空色《CELESTE》を背景に、白い漆《しっ》喰《くい》とくすんだ煉瓦《れんが》が日をうけてまぶしかった。

仕事は、春の日の動物園の動物のようだ。楽ちんですこし淋《さび》しい。ジーナとパオラの店は気に入っているし、店員というのも性に合っていると思う。事務的な面で几帳面《きちょうめん》だし、情に流されないたちだから。愛された女性の人生の象徴、としてのジュエリーに惹《ひ》かれて始めた仕事だった。

いまでもジュエリーは好きだ。とくにアンティークのジュエリーは。

店をあけ、ウインドウのガラスを磨く。レジにおつり用のお金をいれる。いつもの顔ぶれがいつものバスに乗るのを窓ごしにみて、ラジオをつけて天気予報をきく。新しく入荷したものがあれば、帳簿につけてからショウケースにならべる。

「仕事というのはそういうものなんじゃないのかな」

いつだったかマーヴはそう言った。

「過剰な熱意や理想は仕事の質を下げると思うよ。アオイはシリアスすぎるんだ。春の日の動物園のどこが悪いのか、僕にはわからないな。Lovelyじゃないか」

無論そのとおりだ。経済的な理由から働いているわけでもない。

私はラジオのヴォリウムをしぼり、セールの案内状の宛名《あてな》書きをする。ブザーが鳴り、きょう最初のお客のためにドアをあけた。

土曜日は夏のような天気になった。

フェデリカの住むケプレロ通り近辺は、しずかだけれどがらんとして、時間にとり残されたような住宅地だ。さびれたパン屋とクリーニング店を通りこし、一方通行を右に折れた左側、砂色の壁の四階建てのアパート。車の窓を全開にして、まのぬけたようなあかるいま昼をゆっくりと走る。道端に、痩《や》せた黒い犬が寝ていた。

前庭は藤がさかりだった。ぶどうのようにたれさがる、やわらかなうす紫色。藤の下には、色鮮やかなベゴニアが幾鉢も置かれている。かつてここに住んでいた。まだ若かった父と母と、玄関に木目込《きめこ》み人形や紙風船を飾って。

建物に一歩入ると温度が三度くらいさがる気がする。日陰のような、土のなかのような、掘りたての野菜のような、独特の匂《にお》い。頑丈な二重扉がついていて、上下するたびに、なにかが壊れたのではないかと心配になるくらい大きな音をたてるのろまのエレベーター。

フェデリカに会うのは去年のクリスマス以来だ。

金属のドアがあくと同時に干した果物の匂いが流れでてくる。壁いっぱいに吊《つ》るしてあるのだ。レモンやオレンジの皮、シナモン、丁子。

「Buon《ブオン》 giorno《ジョールノ》」

フェデリカの抱擁は軽く、彼女の手のひらの触れたところは、不思議なほどいつまでもその感触が残っている。

「Buon giorno」

私はたちまち十歳の子供になってしまう。

フェデリカは、いつも私の味方だった。

最初の記憶は石畳と冬木立。母に手をひかれていた。曇った、寒い日の風景、母のツイードのオーバー。小学校、ダニエラ、バレエのレッスン。東洋人の子供はまだめずらしがられていた。

「お母様はお元気？」

レモネードをついでくれながら言う。

「ええ、たぶん」

父も母も、いまはイギリスにいる。会社の決めた赴任地。

「たぶんってあなた、困ったひとねえ」

フェデリカは苦笑して、私の腕にぽんぽんと触れた。しっかりした骨格の大きな手、ながい指。年月をくぐりぬけ、なめらかにかわいて皺《しわ》のよった皮膚。

オーヴンで焼いた野菜とパスタの昼食のあと、私たちは居間の椅子《いす》に腰掛けた。白い布のかけられた、二人掛けの硬い椅子。フェデリカは、煙草を一本ゆっくりと吸う。

「元気そうでよかったわ、また髪がのびたのね」

「Sì《はい》」

この部屋の扉窓はよく憶えている。ベランダからの眺めも、カーテンの模様も。

「帰ってきたときのあなた、男の子みたいに短い髪をしてた」

フェデリカは弱く微笑《ほほえ》む。

「あれも悪くなかったけど」

ここはかわらない。洗濯をくりかえしたレースのテーブルセンター、ラックに立てた雑誌、フェデリカの煙草の、かすかに甘い香り。

「アメリカ男とはうまくいってるの？」
シ、と、私は短く返事する。植木鉢の縁を、小さな虫が這《は》っている。
それならよかった、とフェデリカは言ったが、その言葉は空中にぶらさがったようになり、私たちはどちらもしばらく口をつぐんだ。窓から弱い風が入る。

東京での出来事を、あの日々の不思議な興奮と熱をフェデリカは知っている。私の書き送ったたくさんの手紙、とじこめた記憶。ダニエラやマーヴの知らない私の四年間。

「マーヴはあなたにとても会いたがってるの。よろしくって何度も言ってたわ」

「うれしいわ」

フェデリカは背が高く、腰まわりだけは迫力があるが他の部分は痩せている。たいてい膝丈《ひざたけ》のスカートに中ヒールをはいていて、夫に贈られたという猫目石の指輪はかたときもはずさない。その、とけそうに深い色をした大きな石は、フェデリカの手の一部のようにみえる。この指輪に憧《あこが》れた。

「いつ紹介してもらえるの？」

いずれ、とこたえて私は立ちあがる。

「素敵なお昼をごちそうさま。とてもおいしかったわ」

「こちらこそワインをありがとう。ときどき顔をみせてね。幸運を祈ってるわ」

耳元で小さくキスの音をたてる。一瞬触れるフェデリカの頰《ほお》はつめたい。ドアがしまると廊下は暗く、轟音《ごうおん》をひびかせるエレベーターで、私はふたたび晴れたま昼のおもてに運びだされる。

翌週、私は二十七になった。

マーヴとアンジェラ、ダニエラとルカがお祝いをしてくれた。ピッツェリアにくりだして食事をし、そのあとうちでお酒をのむ。ルカが、得意のハモニカを披露してくれた。誕生日が幸福でも特別でもなくなったのはいつからだろう。ふつうの一日だ。年齢なんて記号にすぎない。

「五月は美しい月だわ」

ブランデーの水割りをのみながら、アンジェラが言った。

「アオイによく似合う」

「ありがとう」

私は言い、大きなグラスのなかで赤ワインを揺らす。ソファの肘《ひじ》掛けにおしりを半分だけのせて、マーヴは私の肩を抱いている。私は、こんなふうにマーヴの胸にもたれるのが好きだ。清潔で安心な匂い。

昼間、マーヴと散歩をし、ラ・ペルラで贈り物を買ってもらった。部屋着と下着を二揃《ふたそろ》い、ミルク色のとアプリコットのだ。アオイには黒も似合うと思う、とマーヴは言うけれど、私はどうしても黒い下着をつける気になれない。シルクの光沢に指をすべらせながら、マーヴは残念そうな顔をした。

マーヴは完璧《かんぺき》ね。

うちに遊びにくるたびに、ダニエラは目を輝かせてそう言う（私はそのたびに、そうなの、とこたえる）。

その夜は遅くまでピクショナリーをして遊んだ。ピクショナリーは絵をかいて単語をあてるアメリカのゲーム。意外にもルカが強い。みんなたくさんのんで、たくさん笑った。一問あてるごとに、ダニエラとルカはキスをしあう。

仲間のいる夜は好きだ。にぎやかで幸福。

「会いたいな《I MISS HER》」

バスタブに腰掛けて、私の首を揉《も》んでくれながらマーヴがいった。午前二時のお風呂《ふろ》場は夜と湯気の匂い。

「誰に？」

何杯ものワインが身体じゅうを駆けめぐっている気がして、私は両手をぶらぶらとふってみる。ちゃぷちゃぷいわないのが不思議だ。

「二十六のアオイに」

マーヴは私の頭のてっぺんに唇をつけて言う。

「愛してたんだ、すごく」

マーヴの両手が肩から胸におりてくる。耳元でささやかれ、私は身体をねじってマーヴの唇をふさいだ。きっちりと筋肉のついた腿《もも》から膝に、手を這わせる。

お湯をとめ、私たちはそのまま寝室にいって愛しあった。

いつものとおり早起きをして、シャワーをあび、ぱりっとしたスーツ姿で仕事にでかけたマーヴを見送って、私はもう一度ベッドに戻った。マーヴの枕《まくら》に顔を埋めてみる。ほんとうに日々は淀《よど》みなくながれる。

図書館によってから店にいった。店ではアルベルトが新しいシリーズのサンプル——細い紐《ひも》状のシルバーで、大きな氷砂糖のような天然石をぐるぐるしばったデザインのもの——をいくつかみせてくれた。ローズクォーツや翡翠《ひすい》、アメジスト、夏らしい半透明な石たち。

私は工房でアルベルトの作業をみているのが好きだ。大きな作業台、銀色や鉄錆色《てつさびいろ》の様々な器具、バーナーの炎。台の上には三種類の液体の入ったガラス壜《びん》——透明なのが水、ピンク色のがアルコール、ホタルをとかしたような淡いみどり色の液体は溶接を促進する溶剤。アルベルトに教わった——が置かれている。ごく小さなヴォリウムでラジオから流れる歌謡曲、作業中のアルベルトの意志的でひたむきな横顔。

おなじ表情でスケッチブックにむかうひとを知っていた。あおい。ひらがなのやわらかさで私を呼んだ。もう何年も昔、遠い場所でのことだ。

午後、オニキスの指輪が一つ売れた。

仕事のあと、スーパーマーケットによった。ローマ米とGoliaを買う。Goliaはマーヴの好きなリコリスの飴《あめ》で、彼の生活必需品だ。夕方のスーパーマーケットは苦手。用事だけすませていそいで帰る。

夕食のあと、マーヴとアンジェラが口論をした。口論といってもほとんどアンジェラが一方的に怒っていたのだが、ファック、と、突然マーヴが吐き捨てるように言ったのでおどろいた。私は、まだ一度もマーヴと喧嘩《けんか》をしたことがない。

アンジェラは、マーヴが自分を邪魔にしていると言った。マーヴが否定しても何度もそう言った。いいかげんにしてくれ。マーヴは怒りに顔を歪《ゆが》めて言い、テーブルにコーヒーをのこしたまま寝室にひきあげてしまった。

「手伝うわ」

私が食器をゆすいでいると、鼻を赤くしたアンジェラが来て言った。

「いいの、すぐすむから大丈夫」

「やらせて」

お願い、と言うので、私は一歩横にどいてアンジェラの場所をつくった。アンジェラがゆすいだ食器を私がうけとって、ディッシュウォッシャーに入れる。

「邪魔になんかしてないって言わないのね」

アンジェラが言った。

「してないわ」

アンジェラは私の顔をみて、それからほんのすこしわらう。おくれ毛をものともせずにしばった茶色い髪、アンディ・ウォーホルの猫がプリントされたTシャツ。

「知っているんでしょう《YOU KNOW THAT》？」

アンジェラは返事をしなかった。

「マーヴィンのどこが好き？」

かわりにそんなことを訊《き》く。

「正しいところ」

私はすこし考えてそう言った。

「正しいところ？」

「そう。それからふくらはぎ」

アンジェラはまた私の顔をみる。

「ふくらはぎ？」

私はうなずいた。

「素敵よ」

「そう?」

それじゃあ今度よくみてみるわ。アンジェラは、考え深げな表情でそう言った。

シャワーのあと、きのう買ってもらったやわらかな部屋着——袖《そで》を通すととろんと肌にまとわりつく——を着てベッドに腰掛けて、マーヴの寝顔をみながらマーヴについて考えた。

私はこのひとのどこが好きなのだろう。

正しいところ。勿論《もちろん》そう。マーヴはフェアで明晰《めいせき》だ。

ふくらはぎ。これはもう絶対だ。マーヴのふくらはぎはほんとうに美しい。

機知。

寛大さ。

落ちついた話しぶり。

それから——。

気がつくと私はマーヴの髪をくり返し指で梳《す》いていた。そうやって汗ばんだ額に触れながら、マーヴの美点を一つでも多くかぞえようとした。一つでも多くかぞえて、何を正当化しようとしているのだろう。

大きな身体。顔に顔をちかづけて、寝息に耳をすませる。私は、眠っているマーヴにべッドカヴァーごと腕をまわした。できるだけそっと抱きしめる。

ダニエラに会ったのは五月最後の土曜日だった。

「じゃあアンジェラはいまパリにいるの？」

曇り空の下、私たちはサンバビラ広場ちかくのカフェにいて、コーヒーをのみながらフルーツゼリーをつまんでいた。

「そう」

「その喧嘩のせいで？」

ここはダニエラの気に入りの店だ。オープンエアだけれどテーブルも椅子《いす》もモノトーンでシック。

「ちがうと思う。彼女もともと旅行が好きだし、『パリは大好きなの』って言ってたし」

「『パリは大好きなの』」

ダニエラが英語で口真似をした。

「一週間くらいで帰るって言ってたけど」

きのうの朝、空港まで送ると言ったマーヴをふりきって、リムジンバスのでる中央駅までタクシーででかけたアンジェラのうしろ姿を思いだす。アンジェラは、たとえば野生のテンみたい。

「それで、ミラノにはあとどのくらいいるつもりかしら」

ママそっくりの口調でダニエラは言う。高校時代から、一卵性母娘と呼ばれていた。小さなカップに二つも角砂糖をいれ、スプーンでぐるぐるかきまわしながら。

「肌寒いわね」

空を見上げて私は言った。

「このあいだまで夏みたいにあたたかかったのに」

オレンジのゼリーを一つ口のなかにいれる。

「まだ五月だもの」

ダニエラは言い、甘くてぬるい（にちがいない）コーヒーを啜《すす》った。

知っている。ダニエラは私を意地悪だと思っている。意地悪になった、と、思っている。あるいは無口になった、と。あるいはつきあいづらくなった、と。

勿論それはほんとうではない。私はほんのすこし用心深くなっただけだ。ほんのすこし用心深く、それからたぶん、怠惰に。

そのことのどこがいけないのかわからないな。

たぶんマーヴはそう言うだろう。

「どうするの？　これから」

また雨になりそうだ、と思いながら、私はダニエラの指先あたりをみて訊いた。きれいに切り揃《そろ》えられた卵形の爪《つめ》。木々の緑が風に枝ごと一斉に揺れる。不穏な音、水を含んだ空気の匂《にお》い。

「ホストによろうかと思って」

「ルカに？」

ホストはメンズの洋服屋だ。ダニエラは首をふる。

「パパに。来月六十二になるの」

私は、恰幅《かっぷく》がよくてやさしいダニエラのパパを思った。

「お元気？」

「そりゃあもう」

ダニエラはわらう。高校生のころ、よく車で学校に迎えに来てくれた。まずダニエラの高校で娘をひろい、インタースクールにまわって私をひろうと、そのまま遊びにつれていってくれた。

「じゃあ私もマーヴにポロシャツでもみようかな」

会計をすませ、私たちは店をでる。うす墨を流したような風の流れるミラノの街。

ヴァカンツァにはスイスにいこう、と、マーヴは言っている。

第３章　静かな生活

una vita tranquilla

バンビーナ、バンビーナ

ラジオから、トニイ・ダララの甘い歌声が流れている。野茨《のいばら》の満開の庭、エニシダの黄色。ひさしぶりに晴れた朝の道路をサングラスごしにみながら、私は軽くアクセルを踏み込む。初夏の風が窓から流れこんでくる。

——意外だな。

はじめて私の運転する車に乗ったとき、マーヴは眉《まゆ》を持ちあげてみせた。

——アオイがそんなにスピードをだすなんて。

夕方で、私たちは高速道路を走っていた。ミラノの高速で制限速度を守っていたら、たちまち交通妨害だ。

——きみは僕がオリエンタルに対して抱いていたイメージをことごとく壊してくれるね。

マーヴは何もわかっていなかった。この街のことも、私のことも。

図書館の駐車場に車を停め、本を五冊返す。石造りのこの建物の、ひんやりしたしずけさと天井の高さ。歯医者とバレエ教室、それに図書館が、この街で私が最初になじんだ場所だ。

「おもしろかった?」

カウンターごしにいつもの司書が訊《き》き、私は短く、

「Sì」

とこたえる。

――本が好きなくせに、アオイは本を買わないんだね。

マーヴはよく不思議がる。

――読みたいだけで、持ちたいわけじゃないもの。

道理だ、と言ってマーヴは微笑《ほほえ》む。やさしく、思慮深く。

本棚に、気に入った本をならべておくのが好きだったこともある。ケプレロ通りのアパートの小さな子供部屋の本棚には、ファージョンやリンドグレーン、日本の昔話やグリムやカルヴィーノをならべていたし、そのうちそこに、モラヴィアやタブッキ、森茉莉《もりまり》や源氏物語が加わった。成城のアパートの本棚は、山家集や新古今和歌集、雨月物語や宇治拾遺物語、谷崎や漱石でいっぱいだった。

――所有は最悪の束縛だもの。

私が言うと、マーヴはほんのすこし首をすくめる。否定も肯定もせず、メイビイ、とつ

ぶやく。

「おはよう」

店の裏で車を降りるとアルベルトに会った。

「おはよう。きれいな朝ね」

アルベルトは、まったくイタリア人らしからぬ勤勉さと几帳面《きちょうめん》さで、毎朝はやく工房にやってくる。そして、工作に熱中する子供のような単純さで黙々と仕事をする。一日中作業台の前にすわって、おんぼろのラジオで歌謡曲を聴きながら。

「トルマリン色の朝だ」

うたうようにアルベルトは言う。すきとおるように白い肌をして、深い茶色の瞳《ひとみ》で空をみあげて。

アルベルトの真面目《まじめ》さは、ときどき私を息苦しくさせる。

店をあけ、ウインドウのガラスを磨く。レジにおつり用のお金をいれる。いつもの顔ぶれがいつものバスに乗るのを窓ごしにみて、ラジオをつけて天気予報をきく。コーヒーをのむ。一人目のお客はなかなか来ない。

昼前にマーヴから電話がかかった。

「僕のテゾーロは元気かな」

静かな生活。穏やかな、過不足のない、とても上手《うま》く流れていく日々。

「仕事のおわる時間に迎えにいこうか」

マーヴはできるだけなんでもなさそうに言う。

「なぜ?」

と訊くと、

「なんとなく」

とこたえた。

「きょうは私も車で来てるの」

「ああ、それならいいんだ。図書館によったの?」

ええ、とこたえて、私はそばのメモに落書きをする。さくらんぼを三つ。全部くきが二またになっていて、そのうち一つは根元に葉っぱがついている。

たぶん、明け方マーヴは目をさましていたのだ。私の一挙手一投足、ひそめた息と、その先の、ながく震える不安なため息。たぶんみんな背中できいていた。

「はやく帰れるの?」

せめてあかるい声をだしてみる。

「アオイにそう望まれれば」

マーヴはわらってうけあった。

今朝、怖い夢をみた。声に嗤《わら》われる夢。声はいつもの女の声で、場所はよくわからない。おそらく東京のどこかだ。どうして東京だと思うのかは上手く説明できないが、ただ気配のようなもの。平板で閉塞《へいそく》的な、重たい息苦しさのようなもの。夢のなかで、私は青いトートバッグを持っている。声があんまり嗤うので、私は忽然《こつぜん》と気づいてしまう。トートのなかに入っているものが何なのか。それはたくさんの指輪なのだが、どういうわけか手ごとそこに入っているのだ。母のエメラルドは血管のすけてみえる母の白い手ごと、フェデリカの猫目石はごつごつして指のながいフェデリカの手ごと。

私は立ちすくんでしまう。はやく鞄《かばん》を手からはなしたいのだが、放り投げるわけにもいかないのでそのまま持っている。手も指も凍りついたようになり、どうしたらいいのか、私にはさっぱりわからない。

目がさめて、しばらく私は天井をみていた。天井をみながら、体じゅうから恐怖がひいていくのをじっと待った。息をつめて。全身をこわばらせて。目がさめても、夢の感触はそこらじゅうに残っている。闇《やみ》のすきまというすきまに、あの声は隠れている。目にみえないから余計に濃くわかるのだ。

やがて私は両手で顔を蔽《おお》った。一、二、三秒間。そして、ながく弱く大きく一つ息を吐く。大丈夫。ただの夢なのだから。そう言って私は自分をだましにかかる。落ち着きなさい、ほらもうなんともないでしょう？　泣きたくてたまらないことにも、震えがとまらないことにも、気がつかないふりをする。

帰りに魚屋に寄った。マーヴの好きな小魚――ジャンケッティ――があったので買う。一キロ三万二千リラ。きっかり三分お湯をくぐらせて、白くなったらすぐにあげてオリーヴオイルとレモンをかけて食べる。ほかに、ひらいてワイン蒸しにするとおいしい赤い小さな魚も買った。これは二万四千リラ。

怖い夢をみるのは子供のころからだ。夢は死や虫やおばけや暴力にみちていて、夢のなかで私はひどく無力だった。私は泣かない子供だったが、怖い夢をみると火がついたように泣いた。母になだめられても父にどなられても泣きやまなかった。

夢は、虫やおばけから、すこしずつ抽象的になっていった。すこしずつ抽象的に、依然として恐怖の鮮明さだけはかわらないままに。

東京にいるころによくみたのは溺《おぼ》れる夢――泳ごうとすると誰かに頭をおさえつけられるので、私は苦しくてすっかり動転してしまう――と、不気味な鳥の夢だ。鳥は大きく、灰色で、すごく邪悪な顔をしていた。

この一年は声の夢ばかりみる。声は冷酷でエキセントリックで、嗤ったり叫んだり悲鳴をあげたりする。声は、私の頭のなかをぐちゃぐちゃにする。神経という神経を、感情という感情を。私は疲労困憊《こんぱい》してしまう。

それでも、私はマーヴに夢について打ちあけることができない。

マーヴは、マルケージのチョコレートをおみやげに買ってきてくれた。白いりぼんがかけてある。マルケージは私たちの気に入りのカフェだ。

つめたくしたワインで魚を食べながら、一日のできごとをなんとなく話す。アルベルトのこと、犬をつれたお客さんのこと、アメリカ人会――そういう会があるのだ。夫の仕事の都合でミラノに住んでいる、アメリカ人妻たちの会――のこと。

でも、私には、マーヴがべつなことを考えているのがわかる。小さな魚をフォークでまとめ、器用に全部つきさして口に運びながら、ときどきワインを口に含んで、冗談も上手にはさんだりしながら、それでもマーヴはいつもとちがう。

「このあとはパスタにする？」

返事はわかっていたけれど、いちおう訊いてみた。

「いや、もう十分だ」

カロリーオーバーになっちゃうからね、と言って、マーヴはおどけた顔をしてみせる。

冷静で穏やかで正確な判断力を持つマーヴが不安がっている、というそのことに、私は胸がしめつけられる。でも、マーヴは私になにも訊かないし、私はそのことを知っている。

「じゃあなにか果物は?」

寝室で食べよう、と、たぶんマーヴは言うだろう。こういう日のマーヴはかならず私を抱こうとする。まるで、そうすることでしか私をたしかめられないかのように。私はどこにもいかないから大丈夫、と、でも私は言ってあげることができない。

セックスのあと、台所で洗い物をすませ、そのまま一人でコーヒーをのんだ。時間を考えればあきらかに大きすぎるヴォリウムで、シューベルトを聴きながら。ピリスの弾くピアノの音。D940番は、子供の時分から惹《ひ》かれる曲だった。冴《さ》えたつめたさで胸をさわがせる幻想曲。内に深く狂気を秘めた旋律が、夜中の台所と私とをみたす。黒と白の市松模様のタイル、床の大理石の模様、黒いスティールパイプの椅子《いす》。セックスのあとの手足の怠《だる》さと不思議な身軽さのなかで、私はながいことじっとしていた。扉窓のあいた小さなベランダごしに、カスタード色の月がでている。

木曜日、いつもの四人でチェントロに映画をみにいった。ひさしぶりにアメリカ映画をみる。ハーヴェイ・カイテルのでているやつだ。ルカはハーヴェイ・カイテルが好きだ。このひと変わってるの、と、ダニエラは言う。映画のあとで食事をし、食事のあとでお酒をのんだ。

ダニエラとルカはチャーミングなカップルだ。およそ似ているところのない二人なので、はじめて紹介されたときにはおどろいた。育ちのいいお嬢さんのダニエラと、不良インテリのルカ。でも、食後酒をのみながら、彼らは五分おきにキスをしあっている。

――アオイはマーヴにつめたいと思うわ。

先週、ダニエラにそう言われた。ホストで、ダニエラがパパに、私がマーヴに、それぞれ贈り物を選んでいるときだ。

――ときどきマーヴが気の毒になる。

ダニエラのふっくらした頬《ほお》がこわばっていた。

勿論ダニエラはわかっていないのだ。私はマーヴを愛しているし、五分おきにキスをしないからといって、それはつめたいことにはならない。

「アオイ?」

マーヴが私の顔をのぞきこんだ。

「のまないの?」

のんでるわ、と言って私はグラスに触れてみせる。テーブルをはさんだ斜め向い側から、ダニエラの強い視線を感じた。

金曜日、目がさめるとマーヴはでかけたあとだった。シャワーをあび、カエルの中庭にいく。低くたれこめた空。じきに雨が降るだろう。木蓮《もくれん》の新緑がみずみずしい。グレイの空に、四本のベビィグリーン。私は石の柵《さく》に腰掛けて本をひらいた。弱い風が額をながれていく。

一時間もすると雨の甘い匂《にお》いが鼻をくすぐり、こまかい雨がおちてきた。たちまち土が匂いたつ。本をとじ、私はしばらくそこで雨をみていた。木蓮の葉の、けむるようなベビィグリーンの一枚ずつをふるわせる雨。

うちに帰ってあたたかいお風呂《ふろ》に入った。さやさやと空気にからまり、樋《とい》を打つ雨の音をききながら。

午後、フェデリカに手紙を書いた。

おもては雨がふっています。このあいだはすてきなお昼をごちそうさま。フェデリカの料理は私に小学生の気分をおもいださせます。

一度だけあなたに叱《しか》られたことがあるの、憶《おぼ》えていますか？　本を置きなさい。厳しい声でそう言われました。こんなふうに霧雨の降るしずかな午後で、学校の帰りによったあなたのうちで、メレンダ《おやつ》をごちそうになっているときでした。私は、その日学校から借りてきた本があんまりおもしろくて、熱中して読みふけっていました。

Topo《本》 di《の》 biblioteca《虫》という言葉を、あのときに教わった。

「アメリカ男」とつきあっているからというわけではありませんけれど、私は目下ヘンリー・ジェイムズを読んでいます。

最後にAoiとサインをして、私はそのうす水色の便箋《びんせん》を折りたたむ。

夕方マーヴがオフィスから電話をくれた。雨だから御機嫌うかがい、と言ってわらう。

「甘やかさないで」

窓から雨をみながら私は言った。

「甘やかすとつけあがるわよ」

マーヴはいつもやさしい。

翌週は、お店でセールがあったので忙しかった。一年以上ショウケースのなかでじっとしていた瑪瑙《めのう》のイヤリングが売れた。きれいなプラチナ・ブロンドを短いボブにした、四十代くらいの女のひとが買っていった。

ジュエリーが売れるとき、いつも不思議な気持ちになる。私はまずそのひとの部屋を想像する。ジュエリーのしまわれる場所を想像する。それから、そのひとが鏡の前に立ち、ジュエリーをつけるところを想像する。特別なときにだけつけるのだろうか、肌の一部みたいにいつもつけているのだろうか、旅行には持っていくのだろうか。

私はジュエリーが好きなのではなく、ジュエリーをつける女のひとの生活が好きなのかもしれない。ジュエリーを買う女のひとの生活も、ジュエリーを贈られる女のひとの生活も。

夏は、日ごとに濃く空気にまざっていく。ウインドウごしにみる街も、あかるくにぎやかな色がついている。広場にはアイスクリームの屋台がでて、タンクトップに短パン姿の人びとが、短い夏を享受しようとドゥオモの上で体を灼《や》く。

――そりゃあきれいよ。荘厳で、立派で。建物自体がすでに彫刻なんだもの。

――へええ、すごそうだな。

――歴史があるもの。キリスト教文化の気の遠くなるような歴史が。

夏で、私たちは梅ヶ丘の順正のアパートにいた。

――でもね、なんていうか、ミラノのドゥオモはつめたいわ。人をよせつけない感じ。ミラノらしいけどね。

ドゥオモ。

たとえば買物の途中のバスの窓からそれがみえるとき、ほんの一瞬胸をかすめるものがある。それは、小さくかわいてもうとてもとても遠い。ほとんど点のようにしかみえない。点のようにしかみえないくせに、それは私のなかで生きて呼吸している。

「どっちが好き？」

店を閉め、帳簿をつけていると奥からアルベルトがでてきて訊いた。両手に一つずつ首飾りをさげている。どちらもラピスを使ったものだ。

「こっち」

私は迷わずシンプルな方を指さした。

アルベルトは意味ありげにうなずくと、

「ロサペーヴォ《そう言うと思った》」

「アオイは潔癖症だから」

と言ってにっこり笑う。

「潔癖症？」

「装飾に拒否反応を示す」

私は苦笑した。

「大げさな言い方。ただシンプルなものが好きなのよ」

アルベルトは私をじっとみている。

「なあに？」

ぬけるような白い肌、ナイーヴな茶色の瞳《ひとみ》。

「どうして？」

私はペンを置き、アルベルトの顔をみた。

「なにが？」

ほんの一拍まができる。

「装飾もたのしいのに、どうして拒否するのかなと思って」

うたうような小さな声で、アルベルトはにこやかに言った。

一週間で帰るといったまま、ひと月ちかくも音沙汰《おとさた》のなかったアンジェラから国際電話がかかったとき、私たちは居間で甘いお酒をのんでいた。

「ハイ、ハニー、私よ、わかる？」

「ハイ、アンジェラ、お元気？」

私は左手で受話器を持ったまま、右手でグラスの氷をからからとまわした。まるい大きな氷のかたまりは、アマレットに濡《ぬ》れてみずみずときらめく。電話がアンジェラからだとわかっても、マーヴは特別表情を変えない。

「マーヴィンはいる？」

「ええ、いるわ。ちょっと待ってね」

私は眉《まゆ》を上げてマーヴに合図を送った。あなたですって、アンジェラよ。

「ところでまだパリなの？」

「そう、パリよ」

「I know you love Paris」

アンジェラは笑った。

「やあアンジェラ、どうしてる?」

このあいだの喧嘩《けんか》なんてまるでなかったことのように、親愛の情たっぷりの声でマーヴが言う。私はアマレットを舌の先でつつく。クレジットカードをめぐり、ちょっとしたトラブルがあったらしい。アンジェラの用事はお金だった。

「問題ない、すぐ送るよ」

マーヴは言い、私をみながらホテルの名前と住所を復唱する。私は立ちあがってメモをさがす。

カードのトラブルというのがどんなものなのか、アンジェラがいつごろミラノに戻るのか、マーヴが電話をきっても私は尋ねなかった。姉弟。私はひとりっこなので、その感じはよくわからない。

翌朝、ぴかぴかの上天気で、マーヴとカフェ・スタンダールにいった。カフェ・スタンダールはブレラにあって、アメリカ式のサンデイブランチをだす。平均して月に二度、私たちは日曜日の朝をここですごす。

「静かな生活」

「え？　なに？」

私たちは揃《そろ》って短パンをはき、揃ってサングラスをかけている。ポロシャツを着たマーヴの腕は太い。筋肉にそってきれいに細くなっている手首に、ごついタグホイヤーをつけている。

「静かな生活」

私はもう一度言った。

「小説よ。ノーベル賞作家の」

しぼりたてのオレンジジュースを一口啜《すす》り、私はべたべたに甘いシナモンロールを食べる。マーヴの注文した目玉焼き——フリルのようにふちがこげている——が、香ばしい油の匂いとともに運ばれてくる。

午後は図書館ですごした。

図書館についていつも私が感心するのは、窓際の席でも日があたらないようにできていることだ。四角くきりとられた窓の外は目も眩《くら》みそうな日ざしだけれど、壁の内側はたちまち暗く、しずかで、空気も微動だにしない。

その暗い部屋の隅にすわって、私は外を眺めている。

マーヴと出会ってしばらくたったころ、

――アオイの目は透徹している。

と言われた。

――透徹している？

私たちは河沿いを歩いていた。冬枯れた木立ち。霧と、立ちならぶ小さな店のウインドウと、昔の洗濯場の名残りだという水場。マーヴは濃紺のラムウールのコートを着ていた。

二人とも、吐く息が白かった。

――一直線に本質をみようとする目っていうのかな。ごまかされない、まどわされない目をしていると思う。

――なにかをごまかそうとしているの？

ちがう、と言ってマーヴは笑った。

――ちがうよ。意地悪だね。

河をはさんで両わきに古い店――ギャラリーが多い。そのあいだあいだに古くさい下着屋や玩具屋《おもちゃや》――の連なる道をおしまいまで歩き、小さな橋を渡って、反対側をまた歩いた。

――信じないかもしれないけど《YOU MAY NOT BELIEVE THIS》、
マーヴは立ちどまり、おどろくほど誠実な表情で私の顔をみた。

――誰かと一緒に住みたいと思ったのはこれがはじめてだ。

マーヴには嘘《うそ》の匂いがしない。

たぶん、私はそこに惹《ひ》かれてしまうのだろう。ほとんど動物的な親近感を抱く。おかしなことだが、マーヴがいつかアメリカに帰るはずだということも、私にはちょうど好もしかった。

——じゃあ、一緒に住む?

私が言うと、マーヴはすこしだけ黙り、それから傷ついたような声で、

——僕がそうしたいと言ったから?

と訊《き》いた。

——アオイの気持ちを訊いているんだ。

——真面目なのね《YOU ARE TOO SERIOUS》。

夕暮れだった。路上駐車した車の一台ずつが、ゆっくりと降りてくる夜に包まれていく。

——私は、たしかにあなたが好きよ。

ゆっくりと、慎重に私は言った。

——一緒に住むかどうかはどちらでもいいの。

マーヴはなにも言わなかった。

私たちはしばらく黙ってならんで歩き、しまいにマーヴがあっさりと、オーケイ、と言ったのだ。

——オーケイ、そうしよう《LET'S ROCK A BOAT》。

レッツ　ロック　ア　ボート。

窓の外に溢《あふ》れかえる日ざしのせいか、きょうは読書がちっともはかどらない。

夕方、マーヴとペックで待ち合わせをした。ペックは中にバールを備えた大きな惣菜屋《そうざい》で、地下はワインセラーになっている。

「Buon giorno」

ワインの輸入というマーヴの仕事の性質上、私たちはお店のひとたちとすっかり顔なじみになってしまった。アメリカ人と日本人のカップルでは目立つうえ、しょっちゅう待ち合わせ場所にしているせいもある。マーヴにいわせると「ポピュラーなもの中心の品揃え」らしいけれど、広くて清潔な店内や、開放的な雰囲気が私は気に入っている。手頃な値段のおいしいワイン。

マーヴはまだ来ていなかった。いつものように、私は店のなかをぶらぶら歩く。おびただしい数の壜《びん》が美しくならんだ棚の様子は図書館に似ている。うすみどりの壜、黒い壜、透明な壜、青い壜。

ほとんどの壜は横にしてあるので、コルクの上から口をおおうすい金属のふたがみえる。ふたのあかるい濃い青は、夜空の青にすごく似ている。

「どうぞ」

お店のひとが、小さなグラスにひえた白ワインをついで持ってきてくれる。きき酒用だ。

「ありがとう」

私は言い、白木の椅子《いす》に腰掛けてのむ。

――アオイ。

いつだったかここでマーヴにワインをプレゼントされた。つれていかれた棚にはふるいワインばかりがならんでいた。

――ほら、ラベルをみて。

マーヴの買ってくれたそれは、一九七〇年、私の生まれた年の白ワインだった。

「早かったね」

短パンをスラックスにはきかえたマーヴが、石けんの匂いをさせて立っている。

「午後はどうだった？」

立ち上がった私の頬《ほお》にキスをして訊く。

「読書《WAS READING》よ」

私はそっけなくこたえ、マーヴの腰に腕をまわす。

「ジムはどうだった？」

私たちはこれから一階でカートをいっぱいにすることになっている。たぶんそのあいだじゅう腰に腕をまわしているだろう。マーヴの車でうちに帰る。食事の前にセックスをするかもしれない。お風呂に入るかもしれない。

「アオイ」

私の背中を抱きよせるようにして歩きながら、アメリカンガールみたいな恰好《かっこう》のきみも大好きだよ、と、マーヴは言う。

第4章　静かな生活2
una vita tranquilla/parte due

ケプレロ通りの泰山木《たいさんぼく》が咲いた。

この花が咲くと夏がきたと思う、と、昔母が言っていた。十五年もここに暮らしながらすこしもイタリア語を覚えようとしなかった母の、小さなうりざね顔と一重まぶた。私の手をひいて毎朝学校に送ってくれながら、母の目に、この街はどんなふうに映っていたのだろう。

さっき雨の音をききながら夕方のお風呂《ふろ》にはいっていたら、散歩にいこうとアンジェラが誘いにきた。アンジェラはいつもとても活動的。

泰山木の花は白くて大きく、甘く強い匂《にお》いがするけれど、肉厚の葉っぱがあまりにびっしり茂っていて、その茂みに隠れてしまうので、下を通っても気がつかないひとが多い。

「花？　どこに？」

レインコートのフードをかぶり、傘をささずに歩いていたアンジェラが、眉間《みけん》にしわを寄せて尋ねた。先週パリから戻ったばかりの恋人の姉は、「ミラノのこの重く湿った空気がなつかしい」と言って、しきりに深呼吸ばかりする。霧雨が顔に降りかかってもちっとも気にしないらしい。

「そこ、ほら、そこにも」

私が指さすと、葉のあいだにその地味な花を認め、アンジェラはへえという顔をする。

「気がつかなかったわ」

あらゆるものにきちんと興味を示すアンジェラは、細い――でも力強い――指先で茂みをかきわけて、他にも花を次々にみつけた。

もう三日、こうしてアンジェラと散歩をしている。仕事のない日はかならず誘われるのだ。

「きれいね」

アンジェラは言い、

「誰の注意も惹《ひ》かないのに」

と、不思議なしずかさでつけたした。

雨は、信じられないこまかさで葉をふるわせ、空気をふるわせ、七月のケプレロ通りを濡《ぬ》らし続けている。さわさわとかすかな水音が間断なく続き、時間も場所も、すっかりかたらを奪われてしまう。

「退屈じゃないの？」

泰山木からはなれ、右手の庭ぞいに続く黒い鉄の柵《さく》に指先で触れながら歩いていたアンジェラが、小さな声で訊《き》いた。

「マーヴィンは老人めいてるでしょう?」

「老人?」

訊き返したけれどアンジェラはそれにはこたえずに、

「あなたにはこれといって仕事があるわけじゃないし、ああ、勿論《もちろん》パートタイムジョブはあるにしてもね、でもそれはキャリアになるようなものじゃないじゃない。遊ぶっていってもダニエラと会うくらいでしょう? パーフェクトな英語を話すのにアメリカ人会に顔をだすわけでもなく、日本人とつきあってる様子もない。本とお風呂ばっかりで」

と言う。お風呂ばっかり、というところですこしわらった。

怠惰なのよ、とこたえたけれど、アンジェラは不服のようだった。

「結婚はしないの?」

いきなりそんなことを訊いた。

「結婚?」

「そう。愛してるんでしょう? マーヴィンのこと」

私はアンジェラの顔をみた。茶色い髪をピッグテイルに結って、あいかわらずおくれ毛だらけで化粧気はない。アーミーグリーンのレインコートは、いちめんに雨粒をのせている。

「いいの。ごめんなさい。こたえなくていいわ」

両手をあげて言った。

「ちょっと訊いてみたくなっただけ。だからそんなに怖い顔をしないで」

にっこり笑う。アメリカ人の笑顔は大きいけれどどこか痛々しい。

「あなたみたいにクレバーなひとは、愛してるから結婚しようなんていう馬鹿げたことは考えないのよね、きっと」

「怖い顔なんてしていないわ。もともとこんな顔なのよ」

私が言うと、アンジェラは肩をすくめた。

「Maybe」

私たちはしばらく黙ってならんで歩く。

——自分でもどうしていいかわからないんだよ。

ゆうべ、セックスのあとでマーヴは言った。

——昔から気のつよいひとだからね。ダグをひきとめることなんてできるはずもなかった。

ダグというのはアンジェラの前夫だ。

——ダグは決して悪い男じゃないんだ。にぎやかなことが好きで、なかなかの野心家で。

──気が合ったの？

腕のなかで訊いた。マーヴは体温が高いので、腕のなかはひどくあたたかい。

──いや、とくべつ気が合ったわけじゃないけれど。

マーヴはひとを悪く言わない。でも、だからといってそのひとと気が合うとか、そのひとを好きだというわけでは全然ないのだ。私はふいにそうしたくなってマーヴを抱きしめた。腕や胸はあたたかいのに、エアコンの冷気をまともにうけて、背中がびっくりするほどつめたくなっていた。

「私が怠惰でも、マーヴは許してくれるわ」

傘をたたみ、バスのステップをのぼりながら私は言った。雨の日の、バスのなかの空気。

「誰かに許してもらう必要があるの？」

アンジェラが言い、私は返事をしなかった。


夕食にはひさしぶりに和食をつくった。かぼちゃの煮物と焼き魚、ほうれん草のおひたし、貝のお椀《わん》。私にとってそれはどれも日本と結びつく味ではない。ミラノの子供時代の味。スーパーマーケットに何種類もあるお米のうち、ローマ米がいちばん日本のそれに近いということや、大根は中華食材店にいかなければ手に入らないということ、ほうれん草は茹《ゆ》でてから小分けにして冷凍しておくと便利だということも、みんな母に教わった。はてしない繰り言のなかで。

マーヴはもともと日本食が好きだし、お鮨《すし》とすきやきしか知らなかったというアンジェラにも、料理は好評だった。

私たちは三人で食卓を囲み、それは平和でしずかで穏やかな、それでいて知らない者同士がどういうわけか相席をさせられたとでもいうような、奇妙に距離を感じる夕食だった。目の前にいても、たぶん姉弟でも、胸のなかはとても遠い。世界の果てくらいに。

あと片づけは好きな作業だ。お皿やグラスをざっと洗い、端からディッシュウォッシャーに入れていく。アンジェラはお風呂で、マーヴはコンピューターと寝室にとじこもっているので、台所には私一人しかいない。エアコンのせいではなく、台所は他の部屋よりも温度がすこし低いような気がする。物がみなあるべき場所にしまわれた、磨かれたシンクの夜中の台所。

雨はまだ降りつづいている。

勿論、これはあの雨とは全然ちがう。夏の雨だしミラノの雨だ。私はディッシュウォッシャーに緑色の洗剤を入れ、ふたをしめてスイッチをいれる。モーター音と、のぞき窓ごしにみえる幾筋もの水の放物線。

あの雨。埃《ほこり》をすい、排気ガスをすって、灰色の街を濡らす雨。私は椅子《いす》に腰掛けて、どうしてもいまよみがえってくるつもりらしい記憶に対して身構えた。ディッシュウォッシャーはすさまじい音をたてて動いている。

梅ヶ丘のアパートは、小さいけれど居心地がよかった。絵の具と油の匂いがしていて、雨の日はそれが一層つよくなる。窓からみえる目の前の公園の、ながい階段と濡れそぼつ枯れ木。ほんとうに死にたくなるような雨だった。あの冬のあの雨。私はあの部屋にとじこめられていた。それまでの幸福な記憶に、信じられないほどあとからあとから湧《わ》きでて溢《あふ》れた愛情と信頼と情熱に。一歩も外にでられなかった。おいで、と、順正《じゅんせい》は言ってくれたのに。おいで、と、採掘したばかりの天然石のような純粋さと強引さ、やさしさと乱暴さで。

あの雨。あの街。あの国での四年間。

時計をみると十一時だった。私は立ちあがり、冷蔵庫からミネラルウォーター《SAN BENEDETTO》をだしてコップにつぐと、半分だけのんで残りは流しに捨てた。

もうすぎたことだ。私は天井をみつめ、戸棚の扉をみつめ、次に冷蔵庫を、それからテーブルと椅子を、市松模様の床をみつめた。ここがいまの私の現実だ。

マーヴはTシャツの肩にセーターをかけ、おそろしく冷房のきいた寝室でコンピューターに向かっていた。かちゃかちゃと、キーボードをたたくばかげて軽やかな音がする。

「まだするの?」

私は言い、うしろからマーヴを抱きしめた。やわらかな髪に鼻をうめる。大きな背中、マーヴの匂い。

「やめたら何かいいことがあるのかな」

右手で私の左手に触れてマーヴが言い、私は、そりゃあもちろん、とこたえた。そりゃあもちろん。デスクの隅にころがっていたGoliaの箱をあけ、その黒い小さい苦い飴《あめ》を一つ口に入れる。


翌朝は快晴だった。ひどく暑い一日になるのがベッドのなかですでにわかった。

朝食のあと、突然泳ぎたいといいだしたアンジェラを車でスポーツクラブに送り、そのまま仕事にいった。店をあけるにはまだすこし早かったので、工房でアルベルトの仕事ぶりを観察する。アルベルトはシリコニカを彫っていた。シリコニカはゴム型のようなもの。

「おはよう」

入口から声をかけると、アルベルトは手元から顔をあげないまま、それでも機嫌のいい声で、おはよう、とこたえた。ラジオからは男性ディスクジョッキーの声。

私は二人分のコーヒーをいれた。朝の工房にやわらかい香りがひろがる。

「いいお天気ね」

窓から溢れかえっている日ざしをみながら私が言い、アルベルトはうたうような口調で
――彫ったばかりのシリコニカにチェッラと呼ばれる赤いロウを流し込みながら――、

「まったく」

と相槌《あいづち》をうつ。そのあとは、作業中のアルベルトのたてる小さな音と、ヴォリウムをしぼった朝のラジオだけが部屋を流れる。工房の壁は白すぎるくらい白く、私は入口ちかくのその壁にもたれて、小さな作業台とアルベルト、おびただしい数の道具と窓からの日ざし、という、完璧《かんぺき》に調和のとれた風景を眺めた。

ここまで徹底した手作業は、よそではちょっとみられないと思う。なにしろシリコニカまで自分でつくってしまうのだ。なにもかも自分でするために、地下には大きな機械がいくつも据えつけられている。金属を一定の太さにする機械、電動やすり、熔解器。武骨で大きな、油くさい機械たち。

店をあける時間になったので、私はそっとひきあげた。

普段にもましてお客のすくない一日で、読書がすごくはかどった。おとといから、『リットン・ストレイチー』という本を読んでいる。あきれるほど厚ぼったい本だ。

午後パオラが顔をだし、手製のフルーツケーキをさしいれてくれた。私の着ているシャツをみて、白はよくない、と言う。

「色のついたものがいいわ。ベージュ《ベイデュ》とか黒《ネーロ》、茶色《マッローネ》、空色《アッズーロ》」

パオラによれば、私が白を着ると「さびしいかんじ」になるのだそうだ。

「私はたのしくて美しいものが好きなの」

と、パオラは言う。

夏は、あらゆる路地の上に平等に君臨している。窓の外のバス通りにも、裏口に面した通りのゴミ置き場やのら猫の上にも、仕事をおえて一歩おもてにでた瞬間の、夜の空気の甘く湿った匂いと虫の声のなかにも。


ニュースは金曜日の晩に届いた。ダニエラとルカが婚約したのだ。

スイートなディナーをおえ、二人が報告に寄ってくれたとき、マーヴと私は居間にいた。シュトラウスのオペラをごく小さなヴォリウムでかけ、アマレットをのみながら、マーヴはワインの専門情報誌を、私は『リットン・ストレイチー』を読んでいた。

「私たち、婚約したの」

ドアをあけるやいなや、ダニエラは言った。声も表情も幸福にうるみ、無論指先はルカのそれとしっかり組み合わさっている。

「なんてすてき《MERAVIGLIOSO》」

私はまずダニエラと——たっぷり十秒間——抱きあって、それからルカを抱きしめた。

「すてき」

もう一度言い、もう一度ダニエラと抱擁をする。

「遅い時間にごめんなさいね。でもいちばんあなたに伝えたくて」

三度目の抱擁。

「プロポーズはどこだったの？」

やっとのことで体を離して私は訊《き》いた。マーヴはまずルカの肩を抱き、ダニエラの両頬《りょうほお》にキスをする。

「サン　サティロ」

ダニエラは、ドゥオモの近くの小さな教会の名前を言った。十五世紀にたてられたという古い古い教会だ。

「礼拝堂のなかで」

ダニエラは言い、思いだしたのかルカとうっとりみつめあい、二度たてつづけにキスをする。

すでに寝室にひきあげていたアンジェラもまきこんで、私たちはその夜ワインを二壜《ふたびん》あけた。シュトラウスはきって、ダニエラの好きなラフやジョルジアをかけながら。

「ダニエラとは最初の小学校で出会ったんだけど、彼女いまと寸分ちがわない顔をしてたのよ。ほんとなの《BELIEVE ME》、いまの彼女のミニチュア版」

二人が帰ると、私はバスタブに腰掛けてマーヴにマッサージをしてもらいながら言った。

「信じるよ」

マーヴはくすくすわらってうけあった。

「大人びた顔の子供だったんだろうね。いつもまぶしそうな顔をした」

「そうなの」

鳶色《とびいろ》の髪、鳶色の瞳《ひとみ》、そばかすの浮いた白い肌。

「ついでにもう一つ信じて。彼女は天使みたいな子供だったの。クラスじゅうでいちばんいい子だったわ。それに勇敢な子供だった」

「勇敢な子供？」

そう、と言って私は体をひねり、お湯が半分たまったバスタブに片足をつけた。

「東洋人の子供に自分から話しかけたのはダニエラだけだった。バレエも彼女に誘われて始めたの」

ダニエラのレオタードは黒で、私のレオタードはごくうすいピンクだった。建物の二階にある日なたくさい稽古場《けいこば》、大きな鏡、みんなの汗を吸ってずっしりと重くやわらかく変色した茶色い革のバー。

「結局私は一年で別の小学校に転入しちゃったんだけど、そこで出会った誰とよりも、ダニエラと仲がよかったわ」

「はじめの小学校でいじめられたの？」

マーヴが訊き、私はすこし考えて、

「かならずしもいじめられたっていうわけじゃないんだけど、まあ、いろいろとね」

とこたえた。あまり思いだしたい記憶ではない。首すじを揉《も》んでいた手をとめて、マーヴは私の頭のてっぺんにキスをする。

「かわいそうに。僕がいれば、誰にもそんなことをさせなかったのに」

私は笑った。

「だってあなたはそのころ大いなる自由の国でハンバーガーを食べていたんじゃないの」

それに、と言って私は立ちあがり、マーヴの頭のてっぺんにキスをするとお湯をとめた。

「二番目の学校はとてもたのしかったの。できたばかりの日本人学校で、なんだかすごくおおらかで」

マーヴの表情がほっとしたようにゆるむのがわかった。もう二十年も昔のことだというのに。

「でも、それが失敗だったのかもしれない」

私は冗談めかせて言い添えた。

「日本っていい国なんだろうなあって、あかるくておおらかで、のびのびした国なんだろうなあって思っちゃったから」

私たちは顔をみあわせて、目だけで微笑《ほほえ》みをかわしあう。

「さて」

私は言い、服をぬいだ。オイルをたらしたお湯の匂いが鼻をくすぐる。

「ゆっくり入るといい」

マーヴがでていってしまうと、私はほっとしていいのか淋《さび》しくなっていいのかわからない気持ちになった。

ダニエラの婚約は、すこし不思議なほど私を嬉《うれ》しい気持ちにさせた。メレンダをかじりながら日々一緒に歩いた通学路、たくさんの小さな秘密をわけあったダニエラ。

ちゃぷんと音をたててお湯を揺らす。自分の脚やおなかがゆらゆらしてみえる。壁には、黒いフレームに入ったIzisの写真、白いぶ厚いバスタオル。

私のまわりだけ、時間がとどこおっている。

しずかな週末だった。マーヴはジムにいき、私はアンジェラと散歩をする以外、ずっと本を読んですごした。

——アオイは本が好きねえ。

小学生のダニエラが、鼻にしわを寄せてそう言ったのを憶《おぼ》えている。

——学校の先生にでもなるの？

図書室は、学校のなかで唯一安心できる場所だった。Topo di biblioteca《本の虫》,Amante della《読書》 lettura《家》, 私は実際あのころのままだ。

日曜日、夕方マーヴと待ちあわせてスーパーマーケットで買物をし、夜、ビデオで映画をみた。アンジェラがいきなり借りてきたのだ。ビデオは全部で三本あり、一本は香港映画、残りの二本はアメリカ映画だった。

「どれがいい？」

ソファに片膝《かたひざ》をたててアンジェラが訊いた。ピーチカラーのTシャツにジーンズ、手首に髪止め用のゴムをはめている。

「どれでも」

私は言ったが、マーヴはタイトルをみて顔をしかめた。

「どれかみなくちゃいけないのかい？」

「マーヴ」

私が言うとマーヴは両手を上げ、おとなしくソファに腰掛ける。

「ありがとう」

アンジェラが私の顔をみて言った。

結局ごく最近のアメリカ映画をみたのだけれど、それはひどいものだった。

私たちはひとしきり映画の悪口を言い――当分ホームシックにはかからない、とアンジェラは言った――、甘いお酒を一杯ずつのんで寝室にひきあげた。拳銃《けんじゅう》の乱射とおびただしい血でかるい頭痛がする。

「やれやれだな」

ドアをしめるとマーヴが言った。和紙を貼《は》ったまるい大きなスタンドが、部屋のなかにやわらかいあかりを投げている。

「Une existence tranquille《静かな生活》」

「え?」

訊き返すとマーヴは微笑んだ。あけるとばちんと大きな音のするアタッシェケースから本を一冊とりだしてみせる。

「小説だよ。ノーベル賞作家の。フランス語に翻訳されていた」

うけとって二、三頁めくった。

「読めるの?」

「まさか」

服をぬぎ、まっ白なブリーフ一枚になったマーヴは本を持ったままの私をそっと抱き、

「Une existence tranquille」

ともう一度言って私の額に唇をつけた。

体温の高いマーヴ、石けんの匂いの、ひどく大きな身体の。

ベッドのなかで、私たちはヴァカンツァについて話しあった。スイスじゃなくシチリアもいい。マーヴはフィレンツェにいきたいという。北欧まで足をのばしてもいい。南の小

さな島もいい。

「どこでも《ANYPLACE》」

私は言った。

「あなたの望む場所ならどこでも」

翌日の朝食はアンジェラがつくってくれた。あかるい黄色の、やわらかなオムレツ。もっとも、朝は食欲がないと言って本人は食べない。やつれた横顔でコーヒーをのんでいる。七月。

窓の外があかるすぎるので、窓辺に立つアンジェラの顔は暗くてまるでみえない。

マーヴはもうオフィスにいってしまった。私は食器をかたづけ、本をひらいて続きを読む。

「きょうも暑くなりそうね」

顔のみえないアンジェラに言ったとき、玄関のブザーが鳴った。低い、でも大きな耳ざわりな音だ。

「はい」

インターフォンでこたえると、信じられない声がした。

「あおい？」

信じられない、ひどくなつかしい声。返事ができずにいると、

「Buon giorno?」

と、声はすこし不安そうに言った。

「信じられないわ」

私がついつぶやくと、インターフォンの向うで声が笑った。リラックスした、たのしそうな声。

「信じるべきだよ」

玄関にとびだすと、崇《たかし》が立っていた。

第5章　東京

Tokyo

「ひさしぶり」

朝の日ざしのなかに崇《たかし》が立っていた。日本の大学で周囲に奇妙な違和感を与えた人なつこすぎる笑顔も、板前風に刈りあげた頭もあいかわらずだ。

「信じられないわ」

私はばかみたいにぼんやりした口調でおなじことを言い、苦笑した崇はかるく両手をひろげて肩をすくめた。

「帰ってきたの？」

何年ぶりだろう。崇は日本人学校の同級生で、高校生のときに家族と日本に帰ってしまったのだったが、その後日本の大学で再会した。外見は無論日本人なのに、日本人ばなれした率直さで周囲に接するこの友人の存在に、私はたびたびすくわれた。

「崇！」

ようやく言い、私は自分でも意外なほどに大きく嬉《うれ》しく微笑《ほほえ》んで、なつかしい友人を抱きしめた。

「すごくゴージャスなところに住んでるね」

アパートに一歩入ると崇は言った。崇が言うと、どんな言葉も非難がましくはきこえない。

「お友だち？」

アンジェラが好奇心をのぞかせて訊《き》き、私がそうだとこたえると、紹介するのを待たずに崇が自分で名乗った。流暢《りゅうちょう》とはいえない英語で、でも文句なく感じのいい笑顔で。

「アンジェラよ」

私は言い、二人は互いにハイと言いあって軽く握手をする。あかるすぎる窓辺で。

「アンジェラはマーヴのお姉さんなの。マーヴっていうのは」

私が言うのを崇がさえぎった。

「知ってる。フェデリカに聞いたよ」

それで納得がいった。私の住所を知っている日本人は――両親をのぞけば――誰もいないはずだった。

「随分ひさしぶりみたいね」

アンジェラがおもしろそうに言う。

「コーヒーでいい？」

「私がするわ。あなたはそこにいて」

台所にいく必要があった。一分でいいから一人になって、東京をおし戻す必要が。

大丈夫。私は自分に言いきかせた。崇はミラノの人間だ。おなじ小学校に通った。インターの高校も一緒で、よく一緒に遊んだ。学食の薄焼きサンドイッチ《TOAST》、夜遊びをしたサン・バビラ広場。ミラノでの記憶をかきあつめる。崇は、ふるい、この街の友人だ。

私はコーヒーをいれ、ビスコッティを添えた。高校のそばにあったカフェのそれのように。

崇は帰ってきたわけではなく、夏休みを利用して遊びに来ているだけらしい。「一週間スペインをまわって」来たという。

「ヴァカーロを憶《おぼ》えてる？」

私はうなずいた。高校時代、崇と仲のよかった男の子だ。

「あいつのアパートに泊めてもらってる」

大学卒業後、崇は大学院に残った。中世文学を専攻していたが、「どういうわけか仏教に興味が湧《わ》いちゃって」、東京のはずれの仏教大学に入学しなおしたのだという。

「九年目の大学生活」

と言ってにこにこしている。

「仏教！」

アンジェラは目を輝かせた。

「仏教には以前から興味があったの。あなたミラノにはいつまでいるの？」

「一週間《A WEEK》です」

崇は言い、にこやかにビスコッティをかじった。

コーヒーをのみおえると、私たちは散歩にでた。アンジェラも誘ったが、再会の邪魔をする気はないと言って来なかった。おもては暑く、くすんだ色の石壁に、日なたと日かげがくっきりとコントラストをつくっている。

「どこにいきたい？」

私は訊いたが、崇は首をすくめただけだった。

「どこでも」

と言う。

「どこもなつかしいし、でもどこにも思ったほどの感慨はない」

ひさしぶりに聞く日本語だった。

「着いた晩は広場でぐでんぐでんに酔っ払った。それできのうは午後まで寝て、夕方ヴァカーロとドゥオモにのぼった」

「ドゥオモに？」

崇は背が高く骨太で、イタリア人にまざっても——それどころかたぶんアメリカ人にまざっても——体格的にすこしもひけをとらない。ジップアップのうすい黄色のシャツを着て、もとは黒だったのであろう色褪《いろあ》せたジーンズをはいている。

「うん。晴れてたし、街を全部見おろしながらアズーロをのんだ」

崇はビールの名前を言った。

「中もけっこう真剣にみたよ。圧倒されるよな、桁《けた》はずれで」

そのとおりだ。なにもかも桁はずれに大きくて、桁はずれに古く、桁はずれに荘厳。

「観光客みたいね」

「観光客だよ」

崇はにっこり笑う。

「元気そうだね」

地下鉄に乗ると、さりげなく私を内側にかばうように立ち、崇は言った。

「元気よ。勿論《もちろん》」

扉窓の闇《やみ》にうつった崇の顔が苦笑する。

「あいかわらずだね」

中央駅で降り、私たちは小さな公園にいった。水のみ場と花壇とベンチがあるだけの、名前さえない小さな公園だ。水のみ場では黒い犬が水をのんでいた。

「環境の悪いところだよなあ」

ビルに囲まれ、車の往来のはげしい街並みを眺めながら崇が言った。

「こんなところに小学校があったんだもんなあ」

現在はもっと環境のいい場所に移転したらしいが、私たちのころ、小学校はこのすぐそばにあった。

「このへんにはわりとよく来るのよ」

ベンチに腰掛けて顔を上に向け、日ざしを鼻先に浴びてから私はサングラスをかけた。

「そばに大きなホテルがあるでしょう？　だからマーヴの取引先のひとを迎えに来たり送ってきたり」

「なるほど」

崇も隣に腰をおろす。

「よく思いだすの。教頭先生元気かなあって」

私が言うと、崇はふきだした。何の話かわかったのだ。

「そうだったねえ」

あのころ、中央駅周辺には夜になると男娼《だんしょう》が立った。私たちは無論そんなことを知らされてはいなかったが、登校時に毎朝教頭先生が校門のまわりを掃いていた。避妊具が落ちているのだ。

「あのアパートに住んでどのくらいになるの?」

崇が訊いた。崇は、左手の小指に銀色の指輪をはめている。

「一年半」

さっきの黒い犬が、太ったおじさんとならんで公園をでていく。

「そうか」

車とビルだらけの場所でも空はすごく青い。

「ダニエラを憶えてる?」

「勿論《CERTO》」

イタリア語で言う。私はダニエラの婚約を伝えた。時間は確実に流れていく。

私たちはあしたゆっくり会う約束をして、駅で別れた。東京の話はしなかった。それは無論不自然なことだった。


「誰?」

帰ってくるなり暑がってシャワーをあび、ポロシャツと短パンという恰好《かっこう》でガス入りの水を喉《のど》を鳴らしてのみほして、濡《ぬ》れた髪をタオルで拭《ふ》きながらマーヴは訊いた。

「友だちよ。商社の駐在員の息子で、ここで育ったの。大学卒業以来会っていなかったんだけど、きょういきなりたずねてきたの」

感じのいい子だったわよ、と、横でオリーヴをつまみながら雑誌をめくっていたアンジェラが口をはさむ。

「仏教の勉強をしているんですって」

「へえ。ここにはどのくらいいるの？」

一週間、とアンジェラがこたえ、

「一度食事に来てもらったら？」

と、マーヴは言った。シャワーをあびたあとのマーヴはいい匂《にお》いがして、私は苦しくなってしまう。マーヴの太い首、きっちりと筋肉のついた肩、そしてふくらはぎ。

「でも、日本でもおなじ大学だったたっていうのは偶然だね」

私はわらった。

「帰国子女を受け容《い》れてくれる学校はそんなにはないもの」

マーヴは意外そうな顔をして、

「閉鎖的なんだな」

と言う。

「おなかがすいたわ。はやく食事にしましょう」

アンジェラが言った。

午前中はサンタマリア・デッレ・グラツィエ教会の中庭ですごした。低くたれこめた曇り空。風のない日だ。砂利と芝生の小道はきれいに手入れされているけれど、四匹のカエルに守られた噴水には誰も近づけない。子供のころから、その安心が好きだった。

カエルの庭に木蓮《もくれん》の咲く季節ですね。

春、母からの手紙にはきまってそう書かれている。

東京の大学で四年間をすごし、戻るつもりではなかったこの街に戻った日、三月だというのに大雪で、翌朝雪に閉ざされたこの庭を眺めたとき、私ははじめてすこしだけ泣くことができたのだった。

回廊の石壁に腰掛けて本を読む。土と石のまざった匂いを肺に深くすいこみながら。

崇とは、お昼ちょうどにノヴェチェントで会った。私がいくと崇はもう着いていて、窓際のテーブルに頬杖《ほおづえ》をつき、外をみていた。

「早かったのね」

声をかけるとこちらを向き、にっこりわらって、

「ボンジョルノ」

と言う。ノヴェチェントはきょうもにぎやかに混んでいて、私たちはまずワインを注文し、パスタと野菜を分けて食べ、メインに二人とも魚をたのんだ。崇は、男のひとにしてはそうたくさん食べる方ではないけれど、とても几帳面《きちょうめん》にきれいに食べる。銀色の指輪を

した手元。

「仕事はしてないの？」

「してるわ。パートタイムで」

魚はあいなめで、ズッキーニのソテーが添えてある。

「センピオーネ公園の近くにアンティークジュエリーの店があるの、憶《おぼ》えてる？」

崇はうなずき、大きなゴブレットから水を一口のむ。

「バス停のそばでしょう？　くすんだピンクの建物の、一階の角」

「そうそう。あそこで働いてるの」

私はパンをちぎって口に入れた。

こうして崇と食事をするのは、なにか不思議なかんじだった。高校生のころ、私たちは二人でこんな店に入ったことはなかったし、東京でもやっぱりそうだったから。

「アメリカ人のボーイフレンドとはどうやって知りあったの」

崇が訊き、私はできるだけ無駄のないふうに、勿論なにも隠すことはなかったが、それでもできるだけ無駄のないふうに、言葉を選んで説明した。帰ってしばらくはダニエラのうちに泊めてもらっていたこと、仕事をみつけ、アパートを借りたこと、ちょうどそのころ、店のお客さんだったマーヴと会ったこと。

「口説かれたわけだ」

崇が言い、私は冗談めかせて、まあね、とこたえた。くすくすわらいがおさまると、ふいに奇妙な沈黙ができる。

「マーヴはまじめなひとよ」

窓の外をみて私は言った。緑色のフィアットが、狭い場所に路上駐車しようとしている。

「まじめで穏やかな、インテリジェンスのあるひとだわ」

崇はなにも言わなかった。

「ドルチェは？　ここのクレープはダニエラの麻薬なのよ」

私は言い、ウェイターに片手をあげて合図した。

並木道をならんで歩く。口のなかが濃いコーヒーの匂いだ。

「このあとは？」

「夕方マーヴと待ちあわせしてるの。それまで図書館にでもいってるわ」

街路樹一本一本の、豊かな緑が曇り空を背景にまっすぐに立っている。ふるびた灰色の壁がつづく。

「順正《じゅんせい》とはあれっきりなの？」

前をむいたまま崇が訊《き》いた。

「あれっきりって？」

うつむいて訊き返す。私の茶色い革靴と、ちっとも磨いていないらしい崇の黒いブーツのつま先をみる。あれっきりというのはどういうことだろう。崇が一体どんな「あれ」を知っているというのだろう。

「会ってないわ。卒業以来ずっと」

私たちは別れたのだ。卒業式のすこし前に、ひどいののしりあいの果てに。

「いまどこにいるかも？」

「知らない」

私は言い、つとめて軽く微笑《ほほえ》んだ。

「昔のことじゃないの。学生のころの恋なんて」

道はゆるやかなのぼり坂になり、大きなお邸《やしき》がならんでいる。塀の上にうす汚れた猫。うす汚れた、でもきれいな眼をした。

「なにがあったの？」

しずかな声で崇が訊いた。

「あんなに仲がよかったのに、なにがあったの？」

私は立ちどまり、崇の顔をみて眉《まゆ》を上げてみせた。

「なんのインタヴューなの？」

崇は笑ってくれなかった。

「忘れちゃったわ。もう昔のことだもの」

仕方なく私は言い、また歩き始めたが、あんなに仲がよかったのに、という言葉が胸を波立たせ、あんなに仲がよかったのに、あんなに仲がよかったのに、と何度も勝手にくり返されるその厄介な言葉に、だらしなくもすっかり動揺してしまった。

崇はもうなにも訊かなかった。

読書はまるではかどらなかった。図書館の南側の、大きな机の隅の席に腰掛けて、私はぼんやり部屋のなかをみていた。天井まで届く書架、たてかけられたこげ茶色の梯子《はしご》、おびただしい数の背表紙。

崇は東京の匂いがした。どこがとはいえないが、手も足も気配も、崇の動作のいちいちが、私に東京を思いださせる。私たち三人がみんな、「外国から来たかわり者の学生」だったころ、あるいは、日本という国の不当な安心にのみこまれ、アイデンティティを失いかけていたころ。

私は本を閉じ、おもてにでた。駐車場を横ぎって地下鉄の駅に向かう。

阿形《あがた》順正は、私の人生のなかの、決して消えないとんでもないなにかだ。彼とのあいだの出来事は、遠い昔の学生時代の恋などではない。

私は足をはやめた。ドラッグストアのウインドウに、水あびをする小鳥の玩具《おもちゃ》と眼鏡洗い機が飾られている。

——よくそんなところにじっとしていられるね。

あのころ図書館で本を読んでいると、きまって順正がやってきて私をおもてに連れだした。

——日にあたらないとカビがはえちゃうぞ。

馬場の裏手を一緒に歩いた。キャンパスのひろい大学だった。

——Book worm《本の虫》

順正が言い、私は笑った。

——むこうでもそう言われてたわ。

私は大学のそばのアパートに住んでいて、アパートといっても木造の一軒家——外階段がついており、階段も壁もなにもかも白い——で、一階と二階に間借人が一人ずつの学生むきレントハウスだったのだけれど、順正はあのアパートを、まるで自分の部屋のようにくつろいで使っていた。好きなときにやってきてあがりこんだ。もっとも、それは私もおなじことで、梅ヶ丘の順正のアパートで、私はどれだけの時間——たのしくてめまぐるしく、あらゆる感情が凝縮された濃密な時間——をすごしたかわからない。

私たちはどちらも十九歳で、まだまるで子供だった。そして野蛮な恋をした。野蛮な、自分の全部で互いにぶつかりあうような、過去も未来も平気で失くしてしまうような。

私にとって順正は、はじめてセックスをした男の子ではないけれど、こういう言いかたをしていいなら、はじめてほんとうに身体をゆるした——すべてをゆるした——男の子だ。はじめての、そして唯一の。

どこにいても一緒だった。べつべつにいてさえも一緒だった。

なにもかも話しあった。子供のころのこと、両親のこと、うちにいたお手伝いさんのこと。ニューヨークとミラノというまるで遠い土地に生まれ育ちながら、私たちはずっとお互いを探し続けていたと確信してしまったし、孤独だったねと言いあいもした。だからたとえば順正の話すどんな話も——中国人のお手伝いさんの話、彼女に教わったというもの哀しい子守歌、ニューヨークの日本人学校の話、カブスカウトやボーイスカウトのこと、小さいころに亡くなったというお母さん、画家だというおじいさん、十二歳のとき、一人でロスまでアメリカ横断の旅をした話——、私は自分のことのように聞き、そのまま記憶に刻みつけてしまった。

私は順正の話をきくのが好きだった。川ぞいの道で、記念講堂の前の石段で、地下にあるいつもの喫茶店で、私たちの部屋で。順正はやさしい声をしていた。誰に対しても、びっくりするほど情熱を傾けて話した。つねに相手を理解しようとし、それ以上に相手に理解されたがっていた。そして、話しすぎるとふいに黙ることがあった。言葉では届かないとでもいうように、いきなり私を抱きすくめるのだった。

私は順正を、ひきはなされていた双子を愛するように愛した。なんの分別もなく。絵の好きな順正の影響で、私たちはよく美術館にいった。世田谷《せたがや》、松濤《しょうとう》、上野、根津。いい展覧会があると聞いて、長野や山梨に足をのばしたこともある。絵をみるときの順正の、熱中してはりつめた横顔。

順正はよく私をモデルにスケッチをした。私を紙の上に写しとる、順正の右手の正確な動き。私は自分が紙の上に定着するその同じリズムと速度——鉛筆のたてるさらさらという音——で、順正のなかに定着できているのだと錯覚をしていた。

——母親に抱かれてるみたいだ。

私の腕のなかで、順正はしばしばそんなことを言った。私は不思議な気持ちがした。

マーヴはまだ来ていなかった。

夕方のペックは混んでいて、しぼったヴォリウムでモーツァルトが流れ、私は顔見知りの店員の持ってきたグラスをうけとると、店内をゆっくり歩きまわった。お行儀よくならんだたくさんのボトル。冷房のきいた店内はあかるくて清潔だ。

マーヴは決して時間に遅れない。一周する前に、低い、豊かな声がうしろからきこえた。

「会いたかったよ」

大好きな声だ。私はふりむいてマーヴの頬《ほお》に頬をつけ、持っていたグラスをさしだした。

白ワインの入ったグラスはうっすらと水滴をつけている。

「のまないの？」

不思議そうに言い、マーヴはそれを喉《のど》に流しこんだ。二口で。

石けんの匂いのマーヴはジャケットをぬいでいて、うすいブルーのシャツにシルバーのカフスをつけている。

「会いたかったわ」

マーヴの顔をみて言った。

エスカレーターはいつも私が前にのり、マーヴはうしろから私の腰に腕をまわす。髪に鼻をうめてなにかささやく。

私たちは肉屋のカウンターでプロシュートを買い、薄切りのほかに小さなサイコロ形に切ったものもつくってもらった。カートに缶ビールと水、マーヴの好きなマンゴーと、アンジェラの気に入りのクラッカーを入れる。

「それから？」

カートをおしながらマーヴが訊き、私たちは指をからめて惣菜《そうざい》のウインドウをのぞく。

買物をすませると、荷物を車のうしろに積み、キスをして座席にすわった。マーヴの車の安心な空気。街灯はつき始めているが、まだ夜になってはいなかった。ステレオのスイッチをいれるとサン＝サーンスが流れた。『サムソンとデリラ』だ。

私は運転するマーヴの隣にすわっているのが好きだ。バックミラーをみるタイミングも、バックさせるときに助手席の背に腕をまわす動作も、走り始めてから片手でシートベルトをしめるその仕草も。

「どんな一日だった？」

私が訊くと、マーヴは打てばひびくはやさで、

「働いた《WORKING》」

とこたえた。

「疲れた？」

「ノゥ」

ほんとうにすこしも疲れていないような、機嫌のいい声で言う。マーヴは決して弱音を吐かない。

「きみの一日は？」

マーヴが訊き、私は、

「とくになにも《NOTHING》」

と、こたえた。とくになにも。

買ってきた惣菜をずらりとならべ、赤ワインをあけて夕食にした。昼間ビデオで「イル・ポスティーノ」をみたというアンジェラが、感激した様子で筋を話してくれた。

お風呂《ふろ》あがり、ベランダで涼んでいると、マーヴがアマレットを持ってきてくれた。大きな氷が濡《ぬ》れてひかっている。

「すんだの？」

グラスをうけとって訊《き》いた。マーヴはずっとコンピューターをたたいていた。

「まあね」

いい風だな、と言って夜の空気に目をほそめる。

「この街が好き？」

私はいままで一度もマーヴに訊いてみたことのなかったことを訊いた。私のすぐうしろに立ち、私をすっぽり両腕に入れるようにして手すりにつかまっていたマーヴは、

「ミラノ？」

と言って私の顔をのぞきこんだ。そして、

「勿論《もちろん》」

とこたえる。

「ここには僕のテゾーロがいるからね」

私はアプリコット色の部屋着を着ていた。この前の誕生日にマーヴに買ってもらったやつだ。

「私がいなかったら？」

マーヴの左手を持ちあげ、私は自分の頬におしあてた。すこしずらしてキスをする。

「そうだなあ」

マーヴは上をむき、しかめつらをつくって、

「つめたい、灰色の、くすんだ街だ」

と結論を下した。

私たちは短いキスをかわして部屋に入り、ベッドにもつれこむとあらためて熱くながいキスを身体じゅうにしあった。いつものようにゆっくりと——マーヴの舌は魔法の舌だ——抱きあい、息を吐いてシーツから顔をだしたときにはアマレットの氷はすっかりとけてしまっていた。

怖い夢をみた。

声が部屋じゅうにひそんでいる夢。姿はみえないけれど、たしかにひそんでいることが私にはわかる。部屋のあちこちに。私はその部屋に閉じこめられていて、おもてはどんよりと曇っている。

知ってる。窓をあけると公園がみえるはずだ。冬枯れた公園。長い階段の両側は梅の林になっていて、年とったひとが散歩したりしている。

待っていても順正は戻ってこない。何日も眠らずに待っているのに。食事もせずに待っているのに。声はわらいをおしころしている。

目がさめると、うすく寝汗をかいていた。体温の高いマーヴに足をからめて眠っていたせいかもしれない。うすく寝汗をかいて、それでもこまかくふるえていた。あの部屋は寒かったから。

私はあおむけになり、しばらくじっとしていた。それからゆっくりベッドからおりる。下着と部屋着を拾って身につけ、コットンセーターをかぶって着ると、マーヴの肩にタオルケットをかけ直し、私は台所にいった。

台所は、電気をつけるとかすかにモーターのうなる音がする。黒と白の市松模様の床。オーヴンの時計をみると三時だった。椅子《いす》にすわって天井をみあげる。

「マーヴ」

私は小さな声で言った。随分と心細い声がでてしまい、私は途方に暮れて泣きたい気持ちになってしまう。

「マーヴ」

「マーヴ」

「マーヴ」

かすかな声で何度も呼び、片手に顔を半分うめた。こんなにそばにいるのに、こんなにちゃんと暮らしているのに。

目をあけるとはだしの爪先《つまさき》がみえた。寒そうな白い爪先。人形の足、とマーヴの呼ぶ小さすぎる足だ。

朝になったらペディキュアを塗ろう、と思った。私は髪をかきあげ、立ち上がって食器棚をあけた。直径が十五センチほどもある、おおきなガラスの壜《びん》をとりだす。パスタ用の広口壜で、白いふたがついている。ワインのコルクを入れてあり、コルクは壜の三分の一ほどをみたしていて、ふるとことことといい音がする。私は壜のふたをあけ、コルクを一つずつテーブルにならべた。

アオイに《TO MY AOI》。愛をこめて《WITH LOVE》。

アオイに《TO MY AOI》。君のバースデイに《ON YOUR BIRTHDAY》。

アオイに《DEAR AOI》。11. 2. 1995.

コルクには、一つ一つにマーヴの丸みをおびた文字で言葉が添えられている。二人で特別な食事をするたびに、ポケットからボールペンをだして書くのだ。

アオイに《TO AOI》。マーヴ《MARV》。

たくさんのキスをこめて《WITH MILLIONS OF KISSES》。

アオイに《TO AOI》。クリスマス1996.

私はそれを一つずつ読んで、ときどき鼻先へもっていって匂いをかいでみる。コルクはもうワインの香りをとどめてはいず、ただ乾いた、やさしい匂いがするだけだ。

アオイに《TO MY AOI》。6. 20. 1996.

アオイに《TO AOI》。フェスタ《FESTA》・デッラ《DELLA》・ドンナ《DONNA》に。

アオイに《TO AOI》。マーヴより愛をこめて《FROM MARV WITH LOVE》。

イタリア語で書かれたものもある。

テゾーロに。

僕のジョイアに。

マーヴと共にした幸福な出来事、そのひとつひとつ、そのつどのワイン。読みながら、私はゆっくり東京をおしやる。胸の奥の闇のなかに。

アオイに《TO AOI》。マーヴ《MARV》。

アオイに《AOI》。新年おめでとう《HAPPY NEW YEAR》。

アオイに《TO MY AOI》。愛をたくさんこめて《MUCH LOVE》。

目をとじて小さく息を吐く。コルクを壜に戻し、きっちりふたをしめて棚にしまった。

阿形順正《あがたじゅんせい》は過去だ。

肩までとどく髪もかたちのいい鼻も、私をじっとみる澄んだ目も。

私は水をのみ、台所の電気を消した。マーヴの眠る寝室にひきかえす。

第6章 秋の風

il vento autunnale

無彩色なお風呂場の窓から、無彩色な街並みがみえる。バスタブのなかは生ぬるくて温かく、私はお湯のなかでゆるゆると手足を動かす。お湯も、お風呂場の空気も、窓の外も、みんなおなじ色と質感をしているように思えるのは夕方のせいだろうか。

夕方のお風呂はほんとうに怠惰だ。怠惰で無為。

順正は無為を嫌った。何もしないこと、何にもならないこと。

まるで、母親が目をはなしたら何をするかわからない五歳児のように、順正は常に何かを探していた。順正の、その、情熱。ひたむきさ。そして、行動力。

順正はすこしもじっとしていない。笑う。喋《しゃべ》る。歩く。考える。食べる。描く。探す。みつめる。走る。歌う。描く。学ぶ。

順正は動詞の宝庫だった。触る。愛する。教える。でかける。みる。愛する。感じる。悲しむ。愛する。おこる。愛する。愛する。もっと愛する。泣く。傷つく。傷つける。

私はバスタブのへりに頭をもたせかけ、白い壁と白い天井を眺める。

崇《たかし》は朝の飛行機に乗ると言っていた。今朝の飛行機で東京に帰ると。

──帰りたくないでしょ。

私が言うと、崇はおおらかにわらって、

──いや。

とこたえた。

──いや、いまはあそこが、俺《おれ》のホームタウンだから。

私は片腕を持ち上げてみる。水面を離れるとき、一瞬だが水の強い抵抗を感じた。ぱちゃん、という音をたてて、腕は頭の横に持ち上がる。

いまごろロシア上空あたりだろうか。私は窓の外、曇った夕方の空をみた。

何もしない、何にもならない毎日。それのどこがいけない？《WHAT'S WRONG WITH THAT?》 マーヴならきっとそう言うだろう。怠惰、無為。それのどこがいけない？

私には夕方のお風呂が性に合っている。しずかで無彩色で落ち着いた、このうちのバスルームが。

崇は東京の匂《にお》いがした。

お風呂あがり、ベランダにでてアマレットをソーダでうすくうすく割ったものをのんだ。灰色に曇ってどこにも光などないのに、いつまでも暗くならないミラノの夏の空気。

ゆうべ、崇を夜ごはんに招いた。マーヴがどうしても会いたがったのだ。

崇は完璧《かんぺき》なゲストだった。約束の時間に二分だけ遅れてやってきて、晴れやかで親しみのこもった態度でアンジェラに挨拶《あいさつ》をしたあとマーヴと笑顔でがっしり握手をし、私に缶ビールの六本パックを手渡した。食前酒から二本の赤ワインを経て食後酒に至るまで、マーヴに一歩もひけをとらない飲みっぷりをみせ、終始笑顔でよく喋った。仏教に関するアンジェラの──月並みでまとはずれではあるが好奇心にみちた──質問にも、一つずつ丁寧に、簡潔に誠実にこたえていた。

マーヴがペックに寄って買ってきてくれたプロシュートをつまんだあと、パスタと野菜と魚をだした。崇はどれもきれいにたべた。かつて、たとえば順正のアパートで、私のつくったものをいつもそうしてたべたように。

──アオイについてきかせてほしいな。僕の知らない、昔のアオイについて。

マーヴがそう言ったとき、崇はすこし考えて、

──はじめは、あまり笑わない女の子でしたよ。

とこたえた。

──でもすぐに馴染《なじ》んだ。あのころミラノの日本人学校はできたばかりで規模も小さくて、とてもアットホームでしたから。

きちんと思いだしながら、きちんと整理して話す、という話し方だった。

――校庭にあんずの木があって、春になるとそこだけ溢《あふ》れるように白い花が咲いた。

――へちま作ったわね、理科で。

私も思いだして言った。

――倉庫みたいな音楽室、憶《おぼ》えてる？

記憶は、小さいけれど水の澄んだ小川のように、ひかえめに私たちの食卓を流れた。教頭先生と朝の掃除の話をすると、マーヴもアンジェラも目をまるくしておどろいていた。

――崇は小柄で、いまの姿からは想像もできないくらい小柄で、セーターもオーバーも、いつもちょっとぶかぶかしてた。

――あおいの方が背が高かったね。

随分遠い昔のことだ。

――高校時代のあおいは優等生だった。

崇が言うと、だろうな、と、マーヴが口をはさんだ。

――いいぞ。やっと僕の知ってるアオイに似てきた。

アンジェラがあきれ顔で首をすくめる。

高校時代、私たちはばかみたいに陽気だった。学食の薄焼きサンドイッチ《TOAST》、週末の夜になるとくりだしたサン・バビラ広場。

――たのしかったんだね。

マーヴが言い、その言葉があまりにも自然な愛情にみちていたので、私はふいに淋《さび》しくなった。

――たのしかったわ。

淋しさをうちけすようにこたえた。

みんなよくのみ、よくたべた。食後にジェラートを何種類か買っておいたのだけれど、四人とももうお腹がいっぱいで、誰も欲しがらなかった。

――東京でのアオイは？

マーヴが突然そう訊《き》いたのは、場所をリビングに移してからだった。

――東京の話もききたいな。おなじ大学だったんだろう？

しずかな、でも意志的な声でマーヴは言った。誰もが――アンジェラまで――一瞬沈黙したように思う。

――東京にいらしたことは？

崇があかるい声で訊き、マーヴはノーとこたえた。

――一度いきたいとは思っているんだけれどね。

――おもしろい街ですよ。

すぐにアンジェラが反応した。

――いってみたいわ。一度テレビでみたことがあるの。アサクサ？　それがうつってたわ。大きな鍋《なべ》から煙がでていて、人がたくさんいて。なにか宗教的な儀式だと思うんだけど。

崇はにこやかに相槌《あいづち》をうち、

——御案内しますよ。

と言い添えた。

——大学は東京といってももっとしずかな場所にありましたから、勉強するにはとても環境がよかった。

——大学では崇の方が優等生になっちゃったのよ。

私は言った。

——あおいははじめ、ちょっと孤立していたかな。群れるのは嫌い、っていう顔をしていた。一人が好きなのっていうようなね。

崇の冗談めかせた口調に、マーヴは微笑《ほほえ》んで、わかるよ、とこたえた。

——僕はあおいより先に、高校の途中で帰っていましたから、そのころにはすっかり馴染んじゃってましたけど。

崇が言葉をきり、私はたちまちおしよせてくる記憶の波に流されないように、懸命に現実につかまった。ミラノの、マーヴのアパートの、快適にエアコンディショニングされたリビングのソファにいまいるという現実に。

勿論《もちろん》、と、崇は言葉をつないだ。

——勿論、あおいもじきに仲間にとけこみました（御心配なく、と言ってここで崇は指を立ててみせた）。たのしかったですよ、大学生活も。

仲間？　私は皮肉な気持ちでうすくわらった。仲間？　その通りだ。私はたった一人の仲間をみつけ、無謀なまでにとけこんだ。凶暴なまでに。


奇妙な夕食だった。

ベランダで夕方の風にふかれながら、私はからからと涼しい音をたててグラスの氷を揺らす。アマレット・ソーダはとけた氷でますますうすくなり、ほとんどもう水のようだ。ひどく気のぬけた炭酸水。

大丈夫。私は自分に言いきかせる。崇はもういってしまった。

——元気で。

ゆうべ玄関で崇はそう言った。私をかるく抱きしめて、感じのいい笑顔で。

——崇も。

私が言うと崇はにっこりとうなずいて、それから、

——いいひとたちだね。

と言ったのだった。日本語で。いいひとたちだね、と。

——よかったよ。

そして、崇はいってしまった。

私は部屋に入ってカーディガンを羽織り、グラスの中身を洗面台にあけた。鏡に映った自分の顔をみる。大丈夫。もう一度思った。ここでは、もう誰も私に東京を思いださせたりしない。

台所にいき、読書をしながら野菜のなかでチキンを煮た。チキンはマーヴの好物だ。

次の日はきれいに晴れた。

私はいつものように図書館によってから出勤し、すでに工房で作業を始めていたアルベルトとコーヒーをのんだ。白くあかるい工房と、清潔で薬品的でありながらどこかクラシックな工房の匂い。泡の立ったミルクコーヒーをのみながら、私はアルベルトの手作業を眺める。小さな音でラジオから流れる可憐《かれん》な感じの歌声は、最近人気の姉妹デュオだった。

「ここにいると落ち着くわ」

私が言うとアルベルトは顔を上げ、微笑んで、

「Si」

と言う。

九月になり、ミラノにしてはめずらしく天気のいい日が続いた。

仕事が忙しく、結局夏の休暇をとりそこなったマーヴは放っておいて二人で小旅行にいく、というのはアンジェラのアイディアで、マーヴははじめいい顔をしなかった。

「一人旅が好きだっていつも言っていたじゃないか」

マーヴは語気を強めて言い、

「それなのにどうしてアオイをつれていくんだ」

と、ほとんど怒ったように詰問する。

「マーヴ」

私が口をはさもうとするのもきかず、しまいには私に、

「いいかいアオイ、きみはアンジェラにつきあう必要なんかないんだ」

などと言った。

「マーヴ」

三度目に名前を呼んで、ようやく、

「なに《WHAT》」

という返事をもらえた私は、簡潔に、

「いくわ」

とこたえた。

「かまわないでしょう？　あなたの休暇にあわせようと思ってとっておいたおやすみがあるし」

マーヴは両手をかるく持ちあげた。

「マーヴィン、誰もあなたのスイートハートをとりあげやしないわ。ちょっと借りるだけじゃないの」

アンジェラが呆《あき》れ顔で言い、私は、

「そのとおりよ」

と言ってマーヴの頰《ほお》にキスをした。

出発の前の晩、マーヴはセックスのあとで、いつまでも私を腕の中に抱いていたがった。

「ちょっとシャワーをあびてくる」

そう言っても放してはくれなかった。

「いかせると思うかい？」

腕に力をこめたままで訊く。体温の高いマーヴの身体。

「苦しいわ」

顔がマーヴの胸におしあてられていたので、マーヴの表情をみることはできなかった。

「どこか遠くにいってしまわないでほしい」

逞《たくま》しい腕にさらに力をこめてそう言ったマーヴの声は、しずかではあったが感情的で、ひどく不安そうだった。どこか遠く、というのがアンジェラとの旅行をさしているのではないことはわかっていた。マーヴにも、私にも。

「はなして」

できるだけそっと言った。マーヴが怯《おび》えている。それは私をほんとうにたまらなくするが、私はマーヴを安心させてあげることができない。どこにもいかないから大丈夫、と、ずっとここにいるから安心して、と、私はマーヴに言ってあげることができない。

荷物は赤い旅行鞄《かばん》につめた。私たちがまだつきあいはじめたばかりのころ、マーヴが贈ってくれたものだ。

それまで使っていた黒いラム革のくたびれた鞄は、クロゼットの奥におしこんである。いくつかのがらくたと一緒に。マーヴと出会う前の私にまつわるものは、もうそれだけしかない。とっておくのが嫌いなのだ。まとわりついてくるものはみんな嫌い。

朝食のあと、荷物はマーヴが車に積んでくれた。いいお天気の朝で、マーヴはすでにいつものマーヴに戻っていた。

「冬のヴァケイションは思いきりとるぞ。北欧でスキーをしよう。北欧でスキーをして、それからアメリカでクリスマスをすごそう」

そんなことを言った。

「ついたら電話するわ」

私たちはキスをしあい、まぶしく晴れたおもてにでる。

ドライヴは快適だった。一時間ちょっとでルガーノについた。国境を越えた途端、街の雰囲気があまりにも清潔で、アンジェラがおどろく。

「すてき」

助手席で歓声をあげるアンジェラは、小さな顔にサングラスをのせ、ピッグテイルを風にそよがせて、'50年代のアメリカ女みたいだ。澄んだ水色のサブリナパンツをはいている。

恋人の姉との二人旅にスイスを選んだのは、無論彼女が「空気のきれいなカントリーサイドがいい」と言ったことにもよるけれど、私自身がこの単調なほど豊かな自然とおそろしく澄んだその色彩を欲していたからかもしれない、と、ひろびろとした高速道路を走りながら思った。

市内は人で賑《にぎわ》っていた。遅い休暇とはいえ、まだ観光シーズンなのだ。私たちはマーヴのとってくれたホテル——丘の上の小さなヴィッラ。窓から、アルプスもルガーノ湖もみえる——にチェックインをすませ、一階のダイニングでお昼を食べてから散歩にでることにした。ホテルのなかはひんやりとしてしずかだ。宿泊者カードにサインしながら、という唐突なタイミングでアンジェラが、

「来てくれてありがとう」

と言った。

夜はケーブルカーでサン・サルバトーレにのぼり、夜景をみながら食事をした。

翌日ロカルノに移動した。ルガーノよりすこし騒々しいリゾート地だ。アンジェラは水の壜《びん》を手に土産物屋を一軒ずつのぞく。

「知らない土地にくるとエナジーが湧《わ》くの。わかるでしょう？」

そんなことを言った。私たちはヴィスコンティ城を見学し、グランデ広場を抜けてマジョーレ湖まで歩いた。

アンジェラは、旅の相手として申し分なかった。適度に精力的で、適度に倦《う》んでいて。

私は毎日一枚ずつ葉書きを書いた。一日目はマーヴに、二日目はダニエラに、三日目はフェデリカに、四日目はジーナとパオラに。

ロカルノのあと、私たちはチェントバーレからドモドッソラまで足をのばした。スイスという国から誰もがイメージするような、愛らしくて退屈な水辺の小さな村々。マーヴからは毎晩電話がかかった。天気に恵まれた旅で、サングラスとスカーフによるわずかな抵抗もむなしく、私もアンジェラも日に灼《や》けた。

六日目に、私たちはルガーノに戻った。おなじヴィッラの、おなじ部屋だ。マーヴから、メッセージと花と果物が届いていた。

旅はどうだった?

はやく会いたい。

愛してるよ。

マーヴ。

「マーヴィンが恋しい?」

夕方、二階のテラスでジン・トニックをのみながらアンジェラが訊《き》いた。テラスからは何隻ものヨットの浮かんだ湖と、その向うにうす青い山々がみえ、豊かな緑のなかを吹いてきた風が、やさしいと形容できるほどの力加減で頬をかすめていく。

「恋しいわ」

私は正直にこたえた。きれいな赤い色をしたスプマンテ・フラゴラを、つめたいうちに喉《のど》に流しこむ。

「マーヴィンは本気よ」

湖をみたままアンジェラは言った。マーヴとおなじ、深い茶色の瞳《ひとみ》。横顔が、すこし疲れているようにみえた。

「私ね、そろそろ帰ろうかと思ってるの」

一瞬、返事のタイミングをつかみそこねた。

「帰るって、アメリカに?」

アンジェラは両手をひろげ、腰をちょっとおとしてずっこけてみせる。

「他にどこに帰るのよ」

ウェイターを呼び、オリーヴを注文した。

「ずっとここにいるわけにはいかないわ」

私たちは、しばらく黙って自分ののみものを啜《すす》った。

「どうして離婚したの？」

ずっと訊いてみたかったことを訊いた。アンジェラはまず私の顔をみて、運ばれてきたばかりのオリーヴをつまみ、

「喧嘩《けんか》ばかりだった」

と言った。

「朝も夜ももうひどいののしりあい。顔をあわせればどなりあいになった。あいつは暴力もふるったわ」

私が顔をしかめると、アンジェラは笑って、

「まあそれはお互いさまだったんだけど」

と、鼻にしわをよせた。

「乱暴者だったの。野獣よ」

七時をすぎていたが、いっこうに暗くなる気配はない。

「どうして結婚したの?」

私の質問に、アンジェラは山の方をみたままはっきりと、

「愛してたから」

とこたえた。

「それはそれはぞっこんだったの《I WAS SO IN LOVE WITH HIM》」

アイワズソーインラヴウィズヒム。アンジェラは、SOに極端なアクセントを置いてそう言った。

「淋しくなるわ《I'M GONNA MISS YOU》」

私は言い、アンジェラはすこしうつむいて微笑《ほほえ》んだ。

ミラノは霧雨だった。たった一週間はなれていたあいだに、街は初秋の気配に包まれている。

「ミラノの匂《にお》い!」

車の窓をあけ、アンジェラが感にたえたように言った。

「この憂鬱《ゆううつ》な色あい!」

私たちはくすくすと笑いあう。

マーヴは、午後の仕事をきりあげて帰ってきた。素晴らしくながく情熱的なキスをして

(私たちがようやく身体をはなしたとき、アンジェラは両手を腰にあて、信じられないという顔で、首を左右に振っていた)、そのあと居間で、三人でお茶をのんだ。

「会いたかったよ」

マーヴは何度もそう言った。

「会いたかったわ」

その度に、私も何度でもそうこたえた。心からの気持ちだった。

翌日は仕事のない日だったので、一日じゅう読書とお風呂《ふろ》についやした。私の日常。何もしない、何にもならない——。

雨で、お風呂場の窓からそのつめたいこまかい雨と、雨に濡《ぬ》れた道と木と路上駐車がみえる。

アイワズソーインラヴウィズヒム。

アンジェラの言葉が忘れられなかった。I was so in love with him.

お風呂あがり、私はバスタオルをまいただけの恰好《かっこう》でマーヴのオフィスに電話をかけた。

「ちょっと声がききたくなったの」

私が言うと、電話の向うでマーヴが苦笑する気配がした。

「できるだけはやく帰るよ」

まるで振り子だ。

暗澹《あんたん》とした気持ちでそう思った。片方に揺れると、必ずもう片方におなじだけ揺れる。逃げるみたいに。振幅をとりもどそうとするみたいに。運動には終りがない、と絶望的なことを教えてくれたのは、インターナショナルスクールの物理の先生だった。

私は服を身につけ、雨の音がきこえなくなるだけのヴォリウムで、グノーの『ファウスト』をかける。音楽が、部屋のなかをゆっくりとみたす。

翌週、ひさしぶりにダニエラとお昼を食べた。

午前中私は図書館により、サンタマリア・デッレ・グラツィエ教会の中庭ですこし本を読んだ。秋らしく気温の低い曇り日で、そういう日にはいつもそうであるように、漆喰《しっくい》と煉瓦《れんが》のクーポラが、普段よりもやや大きくみえた。

絵のある食堂に通じる扉の前は、今朝も行列ができていた。その行列のわきを抜け、私は教会側の扉から中に入った。一瞬なつかしい匂いをかいだように思った。ひどくなつかしい、信じられないほどなつかしい、匂いというより空気だった。順正《じゅんせい》の匂い。あるいはあのころの私たちの匂い。

行列している人たちのなかに、日本人がまざっていたせいだろう。私は二秒間目を閉じた。錯覚でもかまわなかった。錯覚でも全然かまわないから、もうしばらくその匂いを感じていたかった。しかし、目を閉じると通りを往き来する車の音が鮮明になり、いつものこの街の朝の空気——排気ガスとつめたい石畳の匂いのまざったような——が流れてきただけだった。

私は本を閉じ、鈍色《にびいろ》の空をみあげる。約束の時間には、まだ三十分ほどまがあった。

ダニエラは、ばらのつぼみのようにあたたかく幸福そうだった。私たちはタヴェルナ・ヴィスコンティの一階のビストロで待ちあわせ、たっぷりしたサラダを食べた。

「また図書館によってきたの？」

私の持っていた本に目をとめてダニエラが言う。私がシ《Si》と短くこたえると、ダニエラは目だけでふんわりとわらった。

「雨が降りそうね」

モスグリーンと黄色と黒を基調にした、モザイクタイルのテーブルに肘《ひじ》をついて言う。

「読書日和《びより》だわ」

私が冗談めかせてこたえると、ダニエラは首をすくめ、

「変わらないというのは一つの魅力よ」

と言う。

「変わるのもね」

フォークにさした小エビを口にいれ、私は言った。春に結婚式を控え、新居探しや招待状の作成、ドレス選びにサロン通いと、ダニエラは忙しい日々を送っているらしい。アン

ジェラとのスイス旅行の話をすると、

「でもよかったわね、居すわられなくて」

と言った。

この店はすこし値段が高いが落ち着いていて、味もいいのでいつも混んでいる。私は目の前の親友の、鳶色《とびいろ》の髪と色の白い肌、ふっくらした手と薬指にはめられた指輪を眺める。アメジストはダニエラの誕生石で、なめらかなカボションカットの大粒のそれは、彼女にほんとうによく似合っている。愛されていることのしるしとしてのジュエリー。

「私はここのチョコレートケーキをルカとおなじくらい愛しているんだけど、いまこれ以上体重が増えると困るから、残念だけどあきらめるわ」

心から残念そうにダニエラは言う。

旅行から戻って以来ずっと鈍色だった空が晴れたのは、ようやく金曜日になってからだった。午後、アンジェラのショッピングにつきあった。恋人の姉は、月曜日には帰国することになっている。

モンテ・ナポレオーネ通りからブレラをまわり、ドゥオモ広場に着くころには、大きな袋が三つにもなっていた。

「ショッピングって大好き」

嬉《うれ》しそうに笑ってアンジェラは言う。十月とはいえ、動きまわると汗ばむほどのあたたかい日だ。ブティックのウインドウはすっかり冬の装いだった。

「選ぶのがたのしいの」

そう言って、私とマーヴにセーターを買ってくれたりした。

「いいお天気」

ガレリアの壁にもたれ、ずらしたサングラスごしに青空をみあげてアンジェラは言う。陽気も手伝って、広場は観光客でごったがえしている。私たちは売店でサイダーを買った。

「すごい鳩ね。あれじゃ騎士も可哀《かわい》そう」

騎士、というのは馬にまたがったヴィットリオ・エマヌエレ二世の像だ。

「ほんとね」

私はこたえ、片手をかざして日をさえぎった。

「マーヴィンはいいやつだけど」

ばかげて大きく荘厳な、ドゥオモの大聖堂をみあげながらアンジェラが言った。

「いいやつだから愛せるっていうものでもないんでしょうね」

私は彼女が何を言っているのかわからずに戸惑った。

「かまわないのよ」

アンジェラはつづける。

「私はあなたが好きになったし」

団体客がガレリアからでてきたので、私は彼らの邪魔にならないように、足元においていた紙袋をすこしずらした。

「でも、私はマーヴを愛してるわ」

強い風が吹いた。

「たぶん《MAYBE》ね」

アンジェラは言い、サイダーの入っていた紙コップをごみ箱に捨てた。

「いきましょう。プラダをみたいの」

団体客の一人が風に帽子をとばし、何人かが集団をはなれてそれを追った。鳩が一斉に羽ばたき、時報が鳴った。私たちはガレリアをくぐり、ショッピングの仕上げをするべくスカラの方にぬけた。

「クリスマスにはニューヨークでショッピングをしましょう」

アンジェラが言った。

第7章　灰色の影

l'ombra grigia

三カ月ではまだ全然体型はかわらない。でも、ぬけるように白い肌をして、頰《ほお》を上気させたダニエラのお腹のなかにはルカの赤ちゃんがいる。祝福され、誕生を待たれている赤ちゃん。

「ひさしぶり」

片手でウェイターに合図をしながら言い、ダニエラは私の正面にすわった。

「おめでとう」

私が言うと、ダニエラはちょっとうつむくように微笑《ほほえ》み、

「ありがとう」

とこたえた。華奢《きゃしゃ》な金色の首飾り、おなじ金色の結婚指輪。

妊娠のニュースは先週電話できいた。ルカは「とてももともとは思えないくらいよろこんで」、ダニエラのお腹に手をあてては、「まだ目も耳もない生命体にすぎない」赤ちゃんに――無駄だというダニエラの言葉もきかず――話しかけているのだという。

「それで？　どんな気分？」

コーヒーを啜《すす》り、私は訊《き》いた。サンタンブローズは適度に混んでいて、私たちはどちらも横向きにすわり、おもてを眺めていた。

「すばらしいわ」

感情をこめて、ダニエラはこたえた。

ダニエラの結婚式は忘れられない。春で、白いドレスを着た私の親友は花のように愛らしかった。教会式のあと、ダニエラの家で小さなパーティがあり、新郎新婦は勿論《もちろん》、両親も親戚《しんせき》も友人たちも、誰も彼も笑顔だった。よく晴れて、温かくてにぎやかな午後だった。料理はダニエラのママとおばあさんがつくった。上品なベビーピンクのクリームをぬったケーキはダニエラがつくったという。弟が数曲ピアノを弾いた。

ダニエラの家にいったのはひさしぶりだった。石造りの、ふるい美しい家。中庭に、中国のものらしい青い壺《つぼ》が置かれていて、子供のころ、私は遊びにいくたびにそれを興味深く眺めたものだったが、その壺は、いまもちゃんとそこにあった。

ルカのママの頬にルカが、パパの頬にダニエラが、それぞれ両側からキスをしている写真は私が撮った。ダニエラはドレスのまま居間と庭を歩きまわり、こぼれるような笑顔で、幸福に輝いていた。

マーヴは終始礼儀正しくしていたが、家族の結束の固い、イタリア流の結婚式にやや居心地が悪そうだった。

——Dazzling《まぶしい》
庭で額に手をやって、しきりにそう言っていた。英語を話せる人がすくなかったので、持ち前のウィットも発揮できずじまいだった。

「ルカも私も、女の子がほしいの」

シナモンの匂《にお》いのするミルクコーヒーを一口のんで、ダニエラが言う。このカフェは彼女の気に入りの店で、内装がシックだ。オープンエアなので気持ちがいい。曇った、秋のおわりの空気。

ダニエラのつけている首飾りは、結婚のお祝いに、アルベルトにつくってもらって私が贈ったものだ。結婚指輪のデザインをあらかじめルカにきき、それに合うようなものにした。

——すてき。

あの日ダニエラは目を輝かせて言い、私につけてくれと言った。つけてあげると指先で鎖に触れ、

——はずさないわ。

と言ったのだった。

ジュエリーは日常的につけていなくては駄目だというのがジーナとパオラの持論で、私

自身はそういう習慣がないものの、彼女たちをみていると、ほんとうにそうだなと思う。存在感のある金も大ぶりの石も、普段からつけ慣れているからこそ悪目立ちせず、肌にしっくり馴染《なじ》むのだ。

ダニエラは、女の子の名前はもう三つほど考えてあると言った。湿気を含んだつめたい風が吹き、落ち葉が音をたてて転がる。

「お腹のなかにいるのが女の子にせよ男の子にせよ」

私は言った。

「あなたが元気そうで安心したわ」

Certo《もちろんよ》、と言って、ダニエラは空を見上げる。

「雨が降りそうね」

「寒い？」

妊婦を気づかって訊くと、ダニエラはあっさり、いいえ、とこたえた。それからミルクコーヒーのカップを持ち上げて、

「あなたとマーヴは？」

と訊く。

「入籍はしないの？」

私は首をすくめた。

去年のクリスマスにアメリカにいった。アンジェラとは再会したけれど、他の家族には会わなかった。他の家族というのはつまりお父さんだ。お母さんは、マーヴの子供のころに亡くなったときいた。父に紹介したいというマーヴに、私は気がすすまないとこたえ、マーヴはそれ以上誘わなかった。急ぐこともないね、と言った。いつかまたそういう機会もあるだろうから、と。

アメリカは生活しやすそうな国だった。マーヴの生れ育った国。

私はそれまでアメリカにいったことがなかったけれど、アメリカは私にとって、いつも特別な国だった。阿形順正《あがたじゅんせい》の生れ育った国。

「マーヴはいい夫になりそうだし、アオイと一緒にPTAができたら楽しそうなのに」

冗談めかせてダニエラが言い、私は、

「残念でした」

とこたえてコーヒーをのみほした。

「悪いけど、それはもうまにあわないわ」

今度はダニエラが首をすくめる。私は伝票を持って立ちあがった。

マーヴが仕事から戻ったとき、私はすね肉をセロリと煮込みながら、台所で本を読んでいた。

「ただいま」

うしろから、頭のてっぺんにキスをされる。

「おかえりなさい」

とどこおりなく流れていく、マーヴと私の生活、私たちの人生。

「ダニエラは元気だった？」

「ええ」

本を閉じ、立ち上がってこたえた。

「とても幸せそうだったわ」

マーヴの着替えを手伝いに寝室にいく。

アオイは何もしなくていい、と、マーヴは普段から言っている。でも、仕事から戻ったときに食事の仕度ができていることや、寝室で上着を脱いだときにすぐうしろでそれを受けとることが、マーヴをとても幸福にするのを私は知っている。

シンプルだ。私はシンプルなことが好きだ。シンプルな男、シンプルな方法。複雑なものはもう一切いやだ。

「一日中会いたかったよ」

服をすっかり脱ぎ、ブリーフ一枚になったマーヴは言って、私を力強く抱きしめる。

私たちの食事は簡素なものだ。マーヴはいつも体型維持に気をつかっているし、食べるのに苦痛でない程度においしくて、栄養のバランスがよければそれでいいと思っている。

「アンジェラから手紙がきたわ。リビングにおいておいたんだけど、みた？」

「いや」

口元をナプキンでぬぐい、ワインを一口のんでマーヴは言う。

「なんだって？」

アンジェラが帰国して、ちょうど一年たつ。一年間で三通の手紙をくれた。どれもアンジェラらしい、短いけれど心のこもったものだった。私は恋人の姉を好きだなと思う。彼女の健康と不健康を、やさしさと身勝手を、勤勉と怠惰を、好きだなと思う。

「どうして自分で読まないの？」

マーヴは口をへの字にしてみせて、オーケイ、と言う。どちらでもいいのだというゼスチュア。

二人で摂《と》る食事はとてもしずかだ。

きのう、店でアルベルトに変なものをもらった。Istituto europeo di design という学校のパンフレットだ。インテリアやグラフィックデザイン、モード、イラスト、といったいくつもの科にわかれていて、ジュエリーデザイン科の願書が添えてある。アルベルトはそれを、朝、店に入ってきてカウンターの上に置いた。

「もし興味があれば」

遠慮がちにそう言った。

「なに？」

私は封筒からパンフレットをとりだして、ぱらぱらとめくった。アルベルトは所在なげに立っている。

「なあに、これ」

もう一度訊いた。

「Guarda《ほら》」

アルベルトは頁を繰り、目的の箇所をさがしあてると、細くながい指でとんとたたいた。そこにはジュエリーデザイン科の三年間のプログラム——六セメスターに分かれている——が、こまかい一覧表になっていた。

「やってみたらどうかと思うんだ。その、売るだけよりも、実際につくれたらおもしろいんじゃないかと思って」

アルベルトは、なんだか困っているようにみえた。もともと無口なのだ。何かを説明しなくてはならない状況に、不馴《ふな》れなのだろう。

プログラムはかなり本格的で、趣味の習いごとといったレベルの学校でないことはすぐにわかった。

「悪いけど」

フルカラーの、大判の雑誌のようなその学校案内を閉じて、私はアルベルトに言った。

「ジュエリーを創りたいと思ったことは一度もないの。ただ触れていたいだけ、関わっていたいだけなの」

アルベルトは私の顔をまっすぐにみた。

「わからないいな。創ることは触れることにならないの？　関わることにならないのかな」

色の白い、全身が草花みたいに細くしなやかなアルベルト。

「それは触れすぎ。関わりすぎだわ」

笑いながら言ったのに、アルベルトは笑ってくれなかった。

「いつもそうだね」

かなしそうな目でそう言う。

「昔はそんなふうじゃなかったのに」

「昔って？」

私は瞬時に身構えた。

「日本に帰ってしまう前」

アルベルトは目を伏せて、カウンターに置かれたボールペンをもてあそぶふりをしながら続けた。

「ジーナたちも心配してるよ」

「関わりすぎるのはいやなの」

ばかみたいに、私はくり返した。

「せっかく持ってきてくれたのにごめんなさい」

「あやまることはないよ」

アルベルトは言い、それからひっそりと微笑《ほほえ》んだ。

「頑固だね」

「おかげさまで」

私は言い、わざと音をたてて椅子《いす》から立ち上がり、朝の仕事にとりかかった。


「なにを考えてるの?」

目の前に、深い茶色をしたマーヴの瞳《ひとみ》があった。私のと自分のグラスにそれぞれワインを注ぎ足して、

「今夜はあまりのまないね」

と言う。

「そんなことないわ」

私はグラスを持ちあげて微笑む。テーブルの下でマーヴの膝《ひざ》が私の膝に触れ、私はこれ

から何が始まるのかを知る。足指でマーヴのふくらはぎに触れた。きっちりと筋肉のついた美しいふくらはぎ。

マーヴとの生活は過不足がない。しずかで穏やかで、みちたりている。


目がさめると霧雨だった。

窓をあけて、くすんだ色彩の、見馴《みな》れた街並みの濡《ぬ》れるのを眺める。音にならないかすかな音、雨と霧のまざった、つめたくて深い匂《にお》い。ミラノの匂い。

マーヴはもうジムにでかけたあとだった。予定のない土曜日。私は洗濯をし、コーヒーをいれて台所でそれをのみながら本を読んだ。そうしていると底冷えという感じに寒く、秋というよりもう冬のようだった。この時期になると、母は昔かならずつぶやいたものだ。

あはれことしの秋もいぬめり
十五年もイタリアに暮らしながら、イタリア語をまるでおぼえようとしなかった母。雨は嫌いだ。余計なことばかり思いだす。こうして窓を閉めきっていても、雨の気配は部屋じゅうに充満する。

雨の日、病院の待ち合い室は墓地みたいに陰気だった。下品で醜怪な表紙の女性用週刊誌が何冊もおいてあり、私はそれを読んでいる人たちをみるのがいやだった。

処置そのものは、眠っているあいだにすんでしまった。憶《おぼ》えているのは、マスクから酸素のでてくるしゅうという音とひんやりした感触、私はクリスチャンではないけれど、神様のばちがあたる、と思ったことだけだ。

あと七カ月もすれば、ダニエラはルカの赤ちゃんを産む。祝福され、待ち望まれている赤ちゃん。

午後図書館とスーパーマーケットにいき、夕方お風呂《ふろ》に入った。何もしないでいることの悪い点は、記憶がうしろに流れないことだ。私がじっとしていると、記憶もただじっとしている。

知っている。みんな私を心配してくれているのだ。ダニエラもアルベルトも、ジーナもパオラもフェデリカも。

ジムのあと、そのままオフィスにまわったマーヴが戻ってきたとき、私はまだお風呂に入っていた。

「ただいま」

バスタブに腰掛けて、頭の上にかがみこんでキスをする。マーヴは体がとても大きい。

「おかえりなさい」

私は上を向き、マーヴが唇にもキスをできるようにして言った。

「寒い日ね」

マーヴは大げさに音をたてて私に唇を与え、

ていて、常にまっすぐに進む。

「わかった《ALL RIGHT》わ」

両手を上げ、仕方なく私は言った。

「降参よ」

マーヴはわらってテーブルごしに身をのりだし、私たちは軽いキスをした。挨拶《あいさつ》がわりに始終しているキス。

許してもらえるのはたぶん幸福なことなのだろう。存在を許してもらえるのは。

――僕はきみを許せない。

かつてそう言われたことがあるのに、そのおなじ私を、マーヴはおどろくべき寛大さで許してくれる。何度でも。

――僕はきみを許せない。

あのとき、あれは私にとって、全世界から拒絶されたのとおなじことだった。

――なぜそんなことをした？

順正は泣いていた。ひどく怒ってもいたし、それ以上に傷ついていた。

――これから先も、たぶんきみを許せないと思う。

嫌なことばかり思いだすのは雨のせいだろうか。それともダニエラの妊娠のせいだろうか。

「ドルチェは？」

マーヴに訊《き》かれ、私は首を横にふった。

帰り道、マーヴはすこし遠まわりをしてくれた。私が雨の夜のドライヴを好きなことを知っているのだ。マーヴの車のなかは安心で落ち着く。

私は、フロントガラスについたしずくをじっと眺める。ワイパーの動きの外にある、無数のこまかい雨のしずく。車がスピードを上げるとうしろに流れてとぶしずく。

私は許されてここにいる。

「マーヴ」

愛してるわ、と私は言った。マーヴは前を向いたまま、

「まさか！　ほんとうかい？」

とおどけて訊く。それから片手で私の頰《ほお》にそっと触れた。

「アオイは僕のジョイア《よろこび》だ」

冷静ではあるけれど、気持ちのこもった声だった。ふいにマーヴを大切に思う気持ちがこみあげて、私は泣きだしそうになる。

勿論《もちろん》、泣きだしそうになるだけで、実際には泣きだしたりしない。

うちに帰ると十時半をまわっていた。私たちは互いの背中に腕をまわしたまま、何度もキスをしながらからまるように玄関ドアをくぐった。リビングのソファにどさりと腰をお

ろす。そのまま数分間マーヴの腕のなかにいた。

一緒に暮らしているうちに、私たちにはいくつか自然にできた習慣がある。外食のあとでうちに帰って、一人が食後酒をつくりに立ったらもう一人が音楽を選ぶ、というのもその一つで、いつのまにかそうなった。

「なにかのむ?」

私が訊くと、マーヴはシェリーをのむとこたえた。私は台所にいき、グラスを二つ用意する。一つにはアマレットを、もう一つにはシェリーを、それぞれ半分ほど注ぐ。りんごを一つ切った。マーヴも私も、ベッドで果物を食べるのが好きだ。

リビングに戻ると、でもきょうは音楽がかかっていなかった。マーヴは本やレコードを収納している棚の扉をひらき、その前に立っている。

「これは何だい?」

しずかな、けれども怒りを含んだ声でマーヴが尋ねた。手に大きな封筒をもっている。

「ああ、学校案内よ。通ったらどうかってアルベルトがくれたの」

私は両手にグラスを持ったままこたえた。

「学校案内はわかってるよ」

マーヴは仁王立ちの恰好《かっこう》だった。プレスのきいた水色のワイシャツ。

「なぜ相談してくれないんだ? 勉強をしたいなんて、いままでひとことも言わなかったじゃないか」

「ちがうわ。学校になんて」

説明しようとしたけれど、マーヴはきいてくれなかった。

「アオイはいつもそうなんだ。なんでも一人で決めてしまう。僕はきみの人生に、まるで影響しないんだ」

「やめて」

私はグラスをテーブルに置き、封筒をうけとって中身を手にとった。

「アルベルトがくれたの。もし興味があればって」

ぱらぱらめくりながら言った。授業風景やアイロンや電気スタンドの写真、きりんの顔がアップになったイラストなどが目にとびこんでくる。

「興味がないから断ったわ。それだけのことよ」

パンフレットを封筒にしまった。マーヴはしばらく黙っていたが、

「アルベルトはなんだってそんなことをするんだ?」

と、苦々しい口調で言った。

「イタリア人はおせっかいだな」

「そんな言い方をしないで」

滅多にないことだが、私はマーヴに腹を立てて言った。

「大切な友だちなのよ」

「Friend!」

マーヴはさもばかにしたようにくり返した。

「そりゃあ素敵だ」

私は返事をしなかった。

アマレットのグラスを持って寝室にひきあげる。

「台所にりんごがあるからよかったらどうぞ」

マーヴは無言だった。

かすかな足音がきこえ、ドアがしずかにあいたとき、私はベッドのなかで横を向いていた。アマレットはすっかりのんでしまっていた。マーヴは、頭を冷やすのに一時間以上かかったらしかった。マーヴが腰をおろすと、ベッドは大きくきしんだ。

「すまなかった」

完璧《かんぺき》に普段通りの、理性と温かさを備えた声でマーヴは言い、毛布の上から私の腕にそっと触った。私は寝たふりをしていたが、起きていることをマーヴはちゃんと知っていた。隣に横たわり、しばらくじっとしていたが、やがて私の額に唇をつけ、

「おやすみ」

と言ってでていった。マーヴがシャワーをあびて戻ってくるまで、私はその恰好のまま

動かなかった。

第8章 日常
la vita quotidiana

春になるとダニエラが無事女の子を出産し、すぐに私は二十九になった。マーヴとすごす四度目の誕生日。

ちょうど日曜日だったので、マーヴは一日私を甘やかしてくれた。朝食に果物をむいてくれたし、夕食はビーチェにテーブルをとってくれた。贈り物はゴージャスなブレスレットだった。実際、私にはすこしゴージャスすぎるブレスレット。

五月。この街が、一年でいちばん彩りにみちる月。

ダニエラはすでにすっかり母の顔になり、ピンクとブルーに統一された、砂糖菓子のような子供部屋ですごす時間がなによりも幸福なのだと嬉《うれ》しそうに言う。

子供の時分から生きてきた街での、穏やかな生活。それなのに私には、なにもかもがなんだか物語のように思える。勇敢な優等生のダニエラが――学校帰りに一緒にメレンダをかじったあのダニエラが――結婚して家庭を持って、たちまち小さな愛娘《まなむすめ》まで産んでしまったということのすべてが、なんだか水槽のなかのことのようだ。すぐそこにあるのに手を触れることのできない、音すらもきこえない、はるかに隔てられた場所。

もう随分ながいことそんなふうだったような気がする。それともあるいははじめから、そうだったのかもしれないとも思う。私にとって世界は——親友さえ——いつもすこし遠い場所だ。自分と外界とを隔てるうすい膜のようなもの。

マーヴとのあいだにさえそれはある。

ドアの内側に「ごめんなさい、お昼休みです」という札をさげ、鍵《かぎ》をかけてでかける。いいお天気だ。

マーヴは一体私のどこが気に入っているのだろう。

——マーヴィンは本気よ。

いつだったかアンジェラは言った。

——アオイは僕のジョイアだ。

マーヴは誠実な目で、ためらいもなくそう言ってくれる。でもそれがなぜなのか、私にはちっともわからない。

はじめてマーヴに会ったとき、落ち着いたひとだと思った。マーヴは身体が大きくて、一目でアメリカ人とわかるたぐいのウィットと知性を備えていた。上等な服と石けんの香り。お金持ちでおおらかで、それでいて子供のような熱をこめて私をデートに誘いだしてくれた。

あのとき、私は誰の目にも感じの悪い女だったのに。不機嫌だったし、無口で退屈な店員だったのに。

——アオイはかわったわ。

トラムの中で、ダニエラに言われた。

——人をよせつけなくなった。

冬で、ダニエラの黒い手袋が、焼き栗の袋をつかんでいた。

——あなたが日本の大学にいくと言いだしたとき、やっぱり反対すればよかった。

親友にさえそんなふうに言われるありさまの私に、マーヴは恋をしたという。

あたたかい日だ。お昼はセンピオーネ公園でサンドイッチを食べた。玉子のサンドイッチ。日本風の、マヨネーズで和《あ》えたゆで玉子だけのサンドイッチだ。これはマーヴも好きで、ときどきおやつに食べたがる。

木の下のベンチに腰掛けて、紅茶をのみ、ピクルスをかじった。

私の生活はあいかわらずだ。マーヴと二人の穏やかな生活、週に三日だけのジュエリー屋のアルバイト。

先週、マーヴとコモ湖にいった。ダニエラの妊娠以来四人で映画にいかなくなったので、週末ときどきマーヴと二人で遠出をする。

——イタリア人になったよね。

そんなふうに言いながら。

私もマーヴもコモ湖の遊覧船が好きだ。デッキで風を受けながら、マーヴの腕のなかでビールをのんだ。

――やわらかい髪だ。

マーヴは私の背中を抱きながら、髪に鼻をうずめて言った。

――僕はきみの髪の毛が大好きだ。やわらかくて、とても美しい。

ときどき薄陽の差す曇り日で、湖はいちめんにさざ波をたてていた。マーヴと出会ってからずっと、私は長い髪をしている。昔のように極端に短く切ることは、たぶん二度としないだろう。かつて別の男の唇を、何度も何度もうけとめたうなじ。

丘の上の黄色いホテルは、スポーツ施設がついているのでマーヴの気に入りだ。マーヴが運動しているあいだ、私はそこでもぼんやりと、お風呂に入ったりテラスでお茶をのんだり、本を読んだりばかりしていた。

散歩にでて絵葉書きを買い、共通の友人たち――ダニエラとルカ、アンジェラ――に短い手紙を書いたりもした。お元気ですか。私たちはコモに来ています。「私たち」という言葉と、最後にならべてする二人の署名。

子供のいない夫婦の晩年の生活みたいだ。そんなことを思った。

センピオーネ公園を風が渡っていく。サンドイッチを包んであったラップとハンカチをたたみ、ピクルスの入っていたタッパーウェアのふたをして、私はベンチから立ちあがる。

まだすこし時間があったので、スーパーマーケットにいって、夕食の買物を先にすませてしまうことにした。鶏肉と野菜、マーヴ用GOLIA飴《あめ》、それから消毒薬――母はこれを、ピンクのオキシフルと呼んでいた――を買った。

荷物を抱えておもてにでる。陽気のせいか、街は人が多く賑《にぎ》やかだった。バスや車の排気ガス、横切る人々、トラムの警笛。ドゥオモ広場には、色とりどりの屋台がでている。マーヴが「Huge and lovely《巨大で美しいやつ》」と呼ぶミラノ・ドゥオモの屋上では、きっと酔狂な人たちが肌を灼《や》いているのだろう。

――フィレンツェのドゥオモはあたたかいのよ。

そう言ったのはフェデリカだった。

――夫と結婚したばかりのころにね、二人で一緒にのぼったの。ミラノ・ドゥオモの荘厳さはないけれど、やわらかな色がついていて、愛らしくてあたたかだった。

フェデリカによれば、フィレンツェのドゥオモは「愛しあう者たちのドゥオモ」なのだ。彼女の愛の記憶のドゥオモ。小学生のころ、彼女のうちの居間でお茶をごちそうになりながら、そんな話をきいた。

フィレンツェのドゥオモには、一度もいったことがない。いつかいきたいと思っていた。愛するひととのぼるのだと。

——フィレンツェのドゥオモ？　どうしてそんな場所で？　ミラノのドゥオモではいけないの？

順正《じゅんせい》は不思議そうな顔をした。そして私がフェデリカの話をするのをじっと聞いたあと、

——またフェデリカか。

と苦く微笑《ほほえ》んだのだった。二十歳だった。私たちは大学の裏庭にいて、ミラノもフィレンツェもフェデリカも、架空の存在みたいに遠かった。

——約束をしてくれる？

あのとき私は、普段に似ず勇気をかきあつめて言った。私にしてみれば、生れてはじめての愛の告白だったから。

フィレンツェのドゥオモにのぼるなら、どうしてもこのひととのぼりたい。そう思ったのだった。

順正は、いかにも順正らしい屈託のなさで約束してくれた。

——いいよ。二〇〇〇年の五月か。もう二十一世紀だね。

順正の笑顔は、いつも野原みたいに安心だった。ラ　ミア《私の》　カンパァニャ《野原》。ふざけてそんなふうに呼んだ。

買ったものを冷蔵庫にしまうために、いったんアパートに帰った。ピクルスのタッパーウェアをざっと洗う。

ひんやりした台所。このうちはとてもしずかだ。しずかで清潔で豪奢《ごうしゃ》。

店にもどると、めずらしいことにジーナが来ていた。

「ジーナ！」

私は言い、背の高い老婦人を抱きしめた。足元に愛犬がまとわりついている。

「元気そうね」

ジーナは私の背中をぽんぽんとたたく。深く皺《しわ》の刻まれた、骨ばって長い指の感触。

「ひさしぶりですね。お会いできて嬉《うれ》しいわ」

この店の経営者の一人であるジーナは、七十代も半ばをすぎて、もう滅多に店に顔をださない。もう一人の経営者である妹のパオラから、元気だと聞いてはいたが、会うのはほぼ一年ぶりだった。

「ひさしぶりにスーツをつくろうと思ってね」

ジーナは近くの婦人服屋の名前を言った。

にこやかで社交的なパオラにくらべ、ジーナは無口で表情が厳しく、歳とともに気難しくなって、ときどき容赦のない物言いをするのでダニエラなどは苦手にしているが、私はジーナもパオラも二人とも好きだ。

——きみは老嬢と気が合うんだね。

マーヴにそんなふうに言われたことがある。そういえば、子供のころ、まわりの子供たちにアオイのイタリア語は変わっていると言われた。彼らの両親の世代はすでに使わなくなった、古い言いまわしがまざっていたりしたかららしい。

ある意味で、フェデリカは私の祖母だった。あの家の居間でのんだ数えきれない日々のお茶。フェデリカの友人だったジーナとパオラ姉妹にも、あそこで出会ったのだった。

「あいかわらずそっけない恰好《かっこう》をしているのね」

ジーナが言い、奥からでてきたパオラも、

「アオイは白いシャツばかり着るのよ」

と姉に注進した。パオラにシャツの色について言われるのは、これで十回目くらいだ。パオラによれば、私が白を着ると「淋《さび》しげ」にみえるそうだ。

「もっとあかるくて美しい色のついたものを着なさいって口をすっぱくして言っているのに」

ジーナは無遠慮に私をみつめ、

「私もそう思うわ」

と言った。それからわずかに肩をもちあげて、

「でも仕方がないわ。誰でも自分の好きなものを着る権利があるもの」

とつけたすのだった。

私はドアの札をはずし、午後の客に備える。ジーナは足元にかがみこみ、愛犬を抱きあ

げて奥の工房に姿を消した。犬はごく小さな種類のものだけれども、ジーナは足どりをすこし乱す。

マーヴが仕事から戻ったとき、台所では鶏と野菜が煮込まれていて、私はそばで本を読んでいた。

「ただいま」

頰《ほお》と唇にキスをする。

「いい匂《にお》いだね」

マーヴの、声と匂いと存在感。家のなかがたちまち生気をおびる。私は本を置き、着替えを手伝いに寝室についていく。

「きょうお店にジーナが来たのよ」

私は報告した。

「ひさしぶりだったから嬉しかったわ」

「ジーナってアルベルトのおばあさんだっけ」

「いいえ、それはパオラの方」

マーヴは目をくるりとまわしてみせる。

「そうか。どうもよく覚えられない」

「覚える必要なんてないわ」

マーヴはすばらしく記憶力がいいけれど、興味のないことは覚えない。

「意地悪だね」

着替えをおえ、私の目の前に立ったマーヴは、コットンシャツにバミューダパンツという恰好で、小ざっぱりと清潔にみえる。

「もう覚えたよ」

さあテストをしてくれ、と言って私を抱きしめる。

「きみにとって大切なことは僕にとっても大切なことだ」

私の頭のてっぺんに、唇をつけながら言った。

「いかなくちゃ。チキンがこげちゃうわ」

マーヴの腕の中で私は言い、できるだけそっと言ったつもりだったのに、それはなんだか拒絶のように響いた。

冷えた白ワインで鶏料理を食べながら、夏休みにはギリシャにいこう、と、陽気な声でマーヴは言う。

六月になると、曇ったり、気温の低い日が続いた。三月下旬なみの気温だと天気予報は言っている。マーヴが風邪をひき、私はブロンケノロをのむようにすすめたが、アスピリン信奉者のマーヴは今朝もアスピリンをのんででかけていった。フェデリカのアパートの前庭は、きっと藤が盛りだろう。

世界は私の外側で動いていく。

午前中、お風呂《ふろ》のなかで本を読んだ。『HAM ON RYE』という変なタイトルの小説だ。マーヴの本棚にあったのを借りた。ほそくあけた窓から柳並木の裏通りがみえる。白と黒のバスルーム、バスソルトの入ったガラス壜《びん》。

私は壁の時計をみた。きょうはダニエラのうちでお昼を食べることになっている。とじた本をわきに置き、シャンプーの壜に手をのばす。

マスカーニで始まってワグナーで終わるカラヤンのアルバムを聴きながら仕度をした。窓の外はいまにも雨が降りそうだ。赤ん坊を抱くので香水はつけずにおく。

きのう清掃会社の人が来てくれたところなので、うちのなかはどこもかしこも磨きたてられている。マーヴの会社が家賃をだしている高級アパート。玄関わきの鏡に映った自分の顔をみて、私はなんだか不思議な気持ちがした。よその人の人生を生きているような。マーヴと暮らし始めて三年ちょっとになる。このアパートは好きだし、ここでの贅沢《ぜいたく》な暮しにもいつのまにか慣れた。こんなふうにほんのときたま、ふいに頭をもたげる違和感をのぞけば。

ダニエラのうちまでは、車で十五分ほどだ。途中タヴェルナ・ヴィスコンティにより、ダニエラの好きなチョコレートケーキをお土産に買った。

ダニエラは甘いものが好きだ。ノヴェチェントの巨大クレープ（マーヴと私は半分ずつでも食べきれたためしがない）も、一人でたちまち片づけてしまう。それをみて、ルカはよく口笛を吹いたものだ。恰好いい、と言って。

玄関で互いの頰にキスをすると、早速子供部屋に通された。薔薇色《ばらいろ》の頰のダニエラ。

「マーヴは元気？」

「ええ。ちょっと風邪をひいているけれど」

ピンクとブルーの子供部屋は、小さいけれど夢のように愛らしい。窓の前に置かれた白い木馬は、マーヴと私の贈ったものだ。

「こんにちは、お姫さま《プリンチペッツサ》」

私はベッドにかがみこみ、眠っている赤ん坊に挨拶《あいさつ》した。アレッシア——というのが彼女の名前なのだが——は、寝ながら眉間《みけん》にしわをよせている。大人っぽい顔の赤ちゃんだ。

「ここはしずかね」

窓の外は、曇り空が低くたれこめている。

お昼ごはんは手製フォカッチャとチーズとハム、いかを使ったサラダだった。

「なにをのむ？」

お水を、と、私はこたえた。

せまいけれど居心地のいいダニエラの台所。木製の野菜や果物が、カゴに入って飾られている。冷蔵庫にはいくつものマグネット。

「ルカはアレッシアのめんどうをよくみてくれる?」

食事をしながら私は訊《き》いた。ダニエラは鼻の頭にしわをよせる。

「すーごくかわいがってるわ。毎日百回もキスしてる。でも手伝いとなるとね」

フォークを手に、ダニエラは天井をあおいでみせる。私はわらった。

「ヴァカンツァはどうするの?」

「さあ。マーヴはギリシャにいこうとかって言ってるけれど、仕事も忙しそうだしね」

ダニエラは今年もパパとママの別荘にいくという。あそこならアレッシアがいても大丈夫だから、と。

「もうすぐ夏ね」

ダニエラの言葉に私は憂鬱《ゆううつ》なことを思いだし、つい顔をしかめた。

「なに?」

なんでもないわ、と言って首をふる。

「ただね、もうじき独立記念日だなって思っただけ」

私の言葉に、今度はダニエラが微笑《ほほえ》んだ。

「アメリカ人会?」

「そう」

私もマーヴもアメリカ人会にはほとんど顔をださない。私は勿論《もちろん》、マーヴもあの会を敬遠しているのだ。ただ、七月四日の独立記念日には、顔をださないわけにはいかないらしい。

「いいじゃない、たまにはリッチでスノッブな奥様の気分にひたれば」

今度は私が天井をあおいだ。

「あれがどんなものだかみせてあげたいわ」

百畳ほどもありそうな部屋、奇妙なチャイニーズ趣味。会って最初に全身を眺めて褒め合うのがきまりになっているらしく、あっちでもこっちでも服だの髪だのネイルアートだのを褒め合っている。

「あなたも褒められたの？」

私はうなずいた。

「褒めるところがなくて、向うも困ったと思うわ」

昼食はおいしかった。私たちは食後にカンタロープメロンを一切れ食べて、コーヒーをのんだ。

午後、霧雨になった。音もなく空気にからまるこまかい雨。

私は帰りにカエルの庭によった。石畳の道に車を停め、教会の扉から中に入る。雨の日、ここの空気はひどくなつかしい。

私はしばらく柱にもたれ、カエルの噴水が雨に濡《ぬ》れるのを眺めた。日常はよどみなく流れる。

大学を卒業してミラノに帰り、はじめてここに来た日、ここは雪に閉ざされていた。まっ白であかるく、一面に薄陽を反射させているこの庭をみて、私はやっと、泣くことができたのだった。

――なぜそんなことをした？

何年もの時間がすぎたのに、なおこんなにも鮮明にうかびあがってくる順正の泣き顔。

――なぜそんなことをした？

私は返事をしなかった。かたく口をひきむすんだままだった。殴られるかと思った。でも順正は殴らなかった。湧《わ》きあがる怒りをこらえるかのように、小刻みにふるえていた。

私はゆっくりまばたきをする。記憶を身体の奥に閉じ込めるために。グレイに濡れたミラノの空と、雨をまとったクーポラの屋根を見上げた。

あれは、もうずっと昔のことだ。

教会のそばの花屋にあじさいがあったので買った。あじさいはマーヴの好きな花だ。肌寒い青さの、大きくてまるいあじさい。アパートに帰って黒い花びんに活け、寝室に飾った。

夕方、アマレットをなめながら『HAM ON RYE』のつづきを読んでいると、フェデリカから電話がかかった。ひさしぶりに遊びにいらっしゃい。しばらく話したあとでそう言った。アメリカ男もつれてきたら、と。

受話器を通してさえ、フェデリカのイタリア語はふっくらとやさしい。

フェデリカもジーナも、御主人を戦争で亡くしている。処刑されたムッソリーニがロレッタ広場につるされたときは、二人で広場まで見にいったのだと話してくれた。ジーナには息子と娘がいたけれど、フェデリカは一人ぼっちだった。

「お母様はお元気？」

フェデリカが訊いた。

「ええ、たぶん」

私がこたえると、受話器の向うで微笑む気配がした。

「困ったひとね」

私は来週フェデリカを訪ねる約束をした。

風邪が抜けない、と言って、アメリカ男はいつもより早く帰ってきた。スープをのませ、ベッドに寝かせる。そばにいてほしいと言うので、ベッドのわきで本を読んだ。マーヴはなかなか眠ろうとしない。油断をすると、私をベッドにひきこもうとする。

「おもしろい？」

黄色い表紙のペーパーバックを視線で示し、マーヴが訊いた。

「おもしろいわ。力強くて気持ちのいい文体の作家ね」

「僕はその本の出だしがすごく好きなんだ」

この本はマーヴの棚からとってきたものだ。

「The first thing I remember is being under something」

私は一頁目に戻って一行読んだ。

「そうそう」

続けて《CONTINUE》、と、マーヴは言う。

「It was a table, I saw a table leg, I saw the legs of the people, and a portion of the table cloth hanging down」

しずかな夜だ。本を読みながら、私は、ここが私のいる場所だ、と思った。

雨は降り続いている。ときどき、濡れた道路を車が走り去る音がする。

第9章 手紙

la lettera

使い込まれた大ぶりのポットは薄手の白磁《はくじ》で、皺《しわ》の刻まれたフェデリカの手は、それをとても優雅に取り扱う。とろりと深い色の猫目石の指輪。

——紅茶がどのくらい熱くおいしくはいっているかは、茶碗《ちゃわん》に注がれるときの音でわかるものよ。

昔、そんなことを教えてくれたのもフェデリカだった。このおなじ居間の、おなじ椅子《いす》にすわって。

「ひさしぶりね」

香りのいい紅茶を手渡してくれながら、フェデリカは言った。

「元気そうだわ」

あけ放たれた扉窓からは、枯れた鉢植えの並んだ小さなベランダごしに、ミラノの街が見下ろせる。

——私はどうも植物を枯らしてしまうの。

いつかフェデリカがそう言っていたことを思いだす。枯らしてしまった鉢植えがそのまま残って並んでいるフェデリカのベランダ。ここはほんとうに変わらない。

お茶をのみながら、私はダニエラのことを話した。ダニエラと小さなお姫さま《プリンチペッサ》、それに砂糖菓子の子供部屋のこと。

小学生のころ、ダニエラもよくここでお茶をのんだ。バレエの稽古《けいこ》のあと、暗くなりかけた窓の外をみながら。

「どうしてアメリカ男を連れてこなかったの？」

フェデリカが訊《き》いた。

マーヴは仕事があるから、とこたえようとして口をつぐんだ。それなら夜にくればよかったのだ。あるいは週末に。

「あなたがミラノに戻ってどのくらいになるかしら」

フェデリカが重ねて訊き、私は、

「六年」

とこたえた。六年。もうそんなになるのだ。

日本の大学にいくと決めたとき、フェデリカはとても喜んでくれた。

——それは素敵《Bellissimo!》だわ。

Bellissimo! と、何度も言った。母国を知るのは大切なことよ、とも。

「あなたはちっとも変わらないのね」

フェデリカが言い、私はおどろいて顔を上げた。アオイは変わったわ。ダニエラもアルベルトもそう言った。そうでなくても、私自身が知っている。

「変わらない?」

自嘲《じちょう》めいた声がでてしまった。フェデリカは、声には気づかないふりをしてくれた。

「変わらないわ。あなたは子供のころから正直だった。正直で、慎重」

にっこりと微笑《ほほえ》まれ、私はふいに、泣きだしたい気持ちになる。

フェデリカの骨ばった手が、私の膝《ひざ》をぽんぽんとたたいた。

「時間をかけるのは悪いことじゃないわ」

立ち上がって台所にいき、お茶のおかわり用にお湯を沸かす。戻ってきたフェデリカは、甘い匂《にお》いの煙草をくわえていた。

「このあいだジーナとパオラに会ったわ」

フェデリカが言う。

「ひさしぶりにお酒をのんだの」

「Biffiで?」

Biffiは、ふるい、感じのいい小さなバールだ。そこで甘いリキュールを一杯だけのむのが、ジーナたちのたのしみになっている。老嬢たちは、揃《そろ》ってお酒がとても強い。

「二人ともあなたのことを心配していたわ」

ときどき思う。フェデリカの年齢になったとき、私は誰とお酒をのんでいるのだろう。そもそもどこにいるのだろう。ここに？　「母国」に？　それともたとえばアメリカに？

「再婚しようと思ったことはないの？」

私が訊《き》くと、フェデリカはあっさりと、

「Mai《ないわ》」

とこたえた。

「ここをでたいと思ったことは？」

「Mai」

唇をすぼめ、煙草の煙をまっすぐに吐く。私は微笑んだ。干したいちじくに、バターとくるみをはさんだスナックを一つつまむ。

ここで生まれ、長い生涯をずっとここで暮らし、おそらくはここで終えるのであろうフェデリカやジーナに、選択の余地がないということの苛《か》酷《こく》さとやすらかさに、私はときどきとても憧《あこが》れる。

かつて、順正《じゅんせい》とよくその話をした。

――あおいの言う意味はわかる。

順正は、あのひどくよく輝くまっすぐな目をして熱っぽく言った。

私はミラノで、順正はニューヨークで、それぞれ似たような経験をしていた。帰るべき場所が他にあるという気持ち。自分が他所者《よそもの》だという気持ち。

フェデリカやダニエラとどんなに親密な時間をすごしても、それはいつもそこにあった。自分の居るべき場所。

それでいて東京も日本も、すくなくとも私には、まるでそれではなかった。

——わかるけどさ、でもやっぱり選択の余地があるっていうのはいいことだと思うよ。すくなくとも、流浪《さすら》うすきまがあるっていうことはね。

流浪うすきま。私はその言葉をひどく美しいと思った。順正はときどきそんな風に美しい言葉を口にした。無造作に。無自覚に。前向きなひとだった。タフなのか繊細なのかわからない、でもともかくエネルギーに溢《あふ》れたひとだった。ロマンティストだった。私にないものばかり持っていた。

「アオイ?」

フェデリカにみつめられ、私は自分が思いだしていたものまで見透かされた気がしてうろたえた。

「お湯が沸いたわ、お茶のおかわりはいかが?」

「ありがとう、いただきます」

私はこたえ、ヴェネツィアグラスの煙草入れに、所在なく目を転じる。

帰りみち、バスの窓から灰色にくもった空をみながら、マーヴのことを考えた。

――ところで、アメリカ男はイタリア語が喋《しゃべ》れるの？

別れ際、玄関で両頰《りょうほお》にキスの音をたてたあと、フェデリカは訊いた。

――ええ、すこし。

私がこたえると、

――ベーネ《よかった》。

と言ってにっこりした。まるで学校の先生みたいだ。

――よろしく伝えてね。

――ええ。かならず。

がたがたと大きな音のするエレベーター、うす暗いホール。かつて住んでいたアパート。夕暮れどきで、街は人で賑《にぎわ》っている。見馴《みな》れた街、車内の様子、足から伝わる震動と、銀色の握り棒。

あのアパートにマーヴを連れていくことに、どうしてこんなに違和感があるのかわからない。大好きなマーヴ。フェアで、やさしくて、いつも私を甘やかすマーヴ。

――時間をかけなさい。

フェデリカは言った。

——あなたは変わらないわ。正直で、慎重。

正直で、慎重。

去年、アルベルトのくれた学校案内のことでマーヴと口論になった。あのときの、マーヴの言葉が頭から離れなかった。

——僕はきみの人生に、まるで影響しないんだ。

言われたのではなく、言わせてしまったのだと知っていた。だから勿論《もちろん》、謝るべきなのはマーヴではなく私だったのだ。

でも実際に謝ったのはマーヴだった。いつものように。

バスは排気ガスをまきちらしながら、繁華な街並みを通りすぎていく。

夕食のあと、マーヴとスクラブルゲームをした。スクラブルは綴《つづ》りを考えるゲームで、今夜はマーヴの五勝二敗だった。マーヴがお土産に持って帰ってくれた、上等のワインを飲みながらした。

「ヴァカンツァはイギリスにいこうか」

ゲームのあと、ソファでやさしく髪をなでてくれながら、マーヴが言った。

「イギリスに？　ギリシャじゃなかったの？」

ギリシャにいって、おいしい魚料理を食べよう、と、話していた。

「イギリスにはきみの両親がいる」

私はしかめつらをしてみせる。

「だから？」

「だから、訪ねたい」

マーヴはひどく誠実な声をだす。

「訪ねるだけ《JUST VISIT》だよ」

私の父は銀行に勤めていて、もう三十年も海外勤務をしている。そういう生活が性に合っているのだろう。ここ数年は、ロンドンにいる。

「あんまりいい考えだとは思えないわ」

私はワインを一口飲んだ。

「困らせないで」

「困らせるつもりなんかない」

マーヴはゲームみたいに打てば響くはやさで言った。

「でも奇妙だよ。こんなに近いのに訪ねていかないなんて」

サイドテーブルには、アンジェラと私の写った写真が飾ってある。ルガーノで撮ったものだ。アンジェラは私の肩を抱き、大きな笑顔で写っている。

「べつに奇妙ではないと思うわ」

私は言い、立ち上がってバスタブにお湯をためにいった。

「それに、イギリスはそんなに近くもないと思う」

「近いよ」

マーヴはお風呂《ふろ》場《ば》までついてくる。

「アメリカや日本にくらべたらずっと近い」

私は両手を上げ、お手上げのしぐさをしてみせた。蛇口をひねると、湯気とともにお湯がほとばしりでる。

「彼らには彼らの生活があるし、」

音をたてて落ちるお湯に手を触れて、マーヴに背中を向けたまま私は言った。

「私には私の生活があるわ」

お湯の音、湯気の匂い。

「わかった《KNOW》よ」

ぞっとするほど淋《さび》しい声がきこえて、私はおもわずふり返った。

「マーヴ」

「わかって《KNOW》た。アオイにはアオイの人生があって、僕はそこに近づけてもらえない」

傷ついた声だった。マーヴは絶望的にひっそりと微笑んで、I KNOWとくり返す。私はたちまち後悔した。

「マーヴ」

そんな顔をしないで、と言いたかった。そんなつもりじゃなかったの。ヴァカンツァにはイギリスにいきましょう。父にも母にも会えばいいわ。もしあなたがそれを望むなら。どこにだっていきましょう、一緒ならどこだっていい——。そう言いたかった。

「ごめんなさい」

でくのぼうのようにつっ立って、でも私の口をついてでた言葉はそれだけだった。

「謝ることはないよ」

マーヴはもう一度微笑んだ。

「アオイは正直だね」

私は何も言えなかった。

かなしみでいっぱいだった。


翌日はよく晴れた土曜日で、私が目をさますと、マーヴはもうジムにでかけたあとだった。私はしばらくそのまま寝室にいた。肌ざわりのいいベージュのシーツ、窓からふんだんに差し込む日ざし、趣味よくしつらえられた家具調度。ごくしぼったヴォリウムでラヴェルをかける。ここが私の居る場所なのかどうかわからなかった。

ジムから戻ったマーヴは見事に普段のマーヴだった。

「おはよう」

私の頭のてっぺんにキスをして言う。

「僕のテゾーロは朝寝坊だね。こんなにいい天気だっていうのに」

マーヴはいつもの石けんの匂《にお》いがした。ボートみたいにがっしりした肩や胸に、デニムのシャツが似合う。洗濯専門のタイ人のメイドが、ぱりっと洗いあげてくるマーヴの衣類。

私はたまらなくマーヴがほしくなった。

コットンパンツとラムスキンのデッキシューズのあいだにのぞく、裸足《はだし》のくるぶしのせいかもしれない。あのぱりっとしたシャツのボタンを一つずつはずし、ベルトをはずすまももどかしく、胸やお腹にキスをしたいと思った。そうしてマーヴを抱きしめたい、と。

「まだ起きないの？」

勿論、実際にはそうはならない。

――あかるい部屋でするのは苦手なの。

まだマーヴとつきあいだしたばかりのころ、私ははっきりそう表明し、それ以来マーヴは夜――あるいはすくなくとも夕暮れ――にしか、私の体を求めない。

「起きるわ」

私たちはカフェ・スタンダールにいき、たっぷりのアメリカ式ブランチを食べた。ベーグルにクリームチーズ、コーヒー、カニ肉のサラダ、フレンチフライ、果物。散歩をし、ペックで買物をしてうちに帰ると、午後ももう遅い時間になっていた。

「手紙がきてる」

食料品の袋を抱えたまま、マーヴは膝《ひざ》をまげて郵便受けから郵便物をとりだす。あかるい茶色の髪に日があたってきれいだ。

「きみにだ」

私は先に立って階段をのぼり、オートロックを解除する。

「ジュンセイ・アガータ」

耳を疑った。背中がこわばって、指が止まった。マーヴがうしろから階段をのぼってくる、軽快な足音。阿形順正。マーヴはいまそう言ったのだろうか。

その白い封筒を、マーヴは台所のテーブルに無造作に放った。冷蔵庫をあけ、買ってきた食料品をつめこみながら、

「誰だい？」

と、訊《き》く。

「え？」

「その手紙」

一仕事終え、マーヴはぱちんと音をたてて缶ビールをあけた。

「アオイものむ？」

「いいえ、いらない」

私はこたえ、動作が自然にみえることを祈りながらテーブルの封筒をひろった。

「阿形順正。大学時代の友だちよ」

ふうん、と言って、マーヴは缶ビールをおいしそうに飲んだ。

「夕食は遅めにしよう」

と言う。

「そうね」

私はなんとか微笑《ほほえ》みらしきものをうかべた。

手紙を読んだのは、夜中になってからだった。マーヴが寝室にひきあげるのを待って、台所で読んだ。青いボールペンで書かれた、なつかしい順正の文字。順正は、デリケートな、とてもきれいな几帳面《きちようめん》な文字を書く。

読み通すのには努力が要った。紙を持つ指に上手《うま》く力が入らなかったし、途中で記憶がおしよせたり息が苦しくなったりして、何度も中断した。そのたびに壁や床や天井をみた。壁や床や天井や、冷蔵庫や食器棚やマイクロウェイヴを。息を吸って、息を吐き、どうにかまた読み進める。

それはながい手紙だった。

あおい

突然手紙を書くことを、許してほしい。随分ひさしぶりだね。この手紙を一体どんな風に書き始め、どんな風に書き終えればいいのか、僕はさっきから頭を抱えている。だいたい手紙は苦手なんだ。人一倍日本語を好きな、読書家のあおい宛《あ》てに書くのではなおさらね。

ばかばかしい——。

そう言ってあおいは笑うだろうか。

ミラノに戻っているそうだね。崇《たかし》から聞いたよ。そこですっかり新しい生活をしていることも。安心した、と言うべきなんだろうね。

住所は僕が無理矢理聞きだした。崇に腹をたてないでやってほしい。

初夏だね。

ミラノの初夏は美しいのよ——。

誇らしげにそう言ったきみの顔を思いだします。

僕はいま梅ヶ丘に住んでいる。きみのよく知っている、あのアパートです。学生時代とおなじこの部屋で、学生時代とおなじようにぶらぶらしている。あおいがいたら、叱《しか》られるかもしれないな。

崇が言っていたよ。きみの恋人がナイス・ガイだったって。その人がきみをひどく大切に思っていることが、あいつにもわかったって。

あおい。僕はきみにあやまらなければいけない。そのためにこの手紙を書いている。もう過ぎたことだし、いまさらこんな言い訳じみたことはききたくないだろうと思う。でも、どうかきいてほしい。

知らなかったんだ。ここに父が来たことも、父がきみに言ったらしい信じられない言葉も。

申し訳なかった。

若さや青さのせいにするつもりはないけれど、自分のまぬけさがいやになるよ。稽留流《けいりゅう》産というんだってね。どっちみち子供はたすからなかったこと、きょうはじめて知りました。

きみに堕胎を告げられたとき、僕は感情にまかせてきみを責め、ののしったね。はずかしいよ。

ながながと書いてしまった。日本を離れ、生まれ育ったミラノで新しい生活をしているあおいに、不愉快な出来事を思いださせるようなことをしてすまない。

あいかわらず自分勝手ね――。

昔みたいに、きみはそう言ってため息をつくだろうか。そうしてひっそり微笑むだろうか。

許してほしいとはいわない。あやまりたかっただけだ。

ただ一つだけいわせてもらえるなら、どうして全てを話してくれなかったんだろうかと思う。それだけがすこしさびしいよ。

元気で。

ナイス・ガイによろしく。

僕はあおいとちがって植物にくわしくないけれど、羽根木公園はいま花も緑も盛りです。子供広場の方には野バラが――たぶんあれは野バラだと思うけど――、あふれるように咲いています。

順正

読みおわっても、私はしばらく動けなかった。頭の芯《しん》が麻痺《まひ》したようで、ただぼんやりとすわっていた。

「順正」

小さな声でついつぶやくと、その言葉は台所に途方もない違和感をもたらした。途方もない違和感と、雪崩《なだれ》のようななつかしさを。

便箋《びんせん》をたたんで封筒に戻す。指が震えていた。

風にあたる必要を感じて、手紙をしまうと寝室のベランダにでた。ぐっすり眠っているようにみえるマーヴが、ほんとうは目をさましているのかもしれない、と思ったけれど、それでも構わないとも思った。六月の夜気はしっとりとつめたく、数台の車が路上駐車しただけの、閑散とした路地を街灯が照らしだしている。見馴れたミラノの街。信じられなかった。順正から手紙がきたことも、あの青いインクの文字を、こんなにもいとおしく憶《おぼ》えていたことも。

「順正」

今度ははっきりと、その言葉のひびきをたしかめるようにつぶやいた。

翌週はマーヴの仕事のお客様があり、接待の日々だった。レストランを予約し、ホテルに迎えにいき、食事をし、お酒をのんで、ホテルに送り届ける。アパートにも一度招いた。フィットネスにはマーヴが、ショッピングには私がつきあった。

そうしているあいだも、順正の手紙が片時も心をはなれなかった。

梅ヶ丘。順正。なつかしい言葉が東京の空気とともに私の中に流れこんできて、手も足も隅々まで満たしていた。

たとえばマーヴのゲストと食事をしているときも、ジュエリー屋の椅子《いす》にすわっているときも、マーヴのキスを頭のてっぺんでうけとるときも、私はその空気を抱えたままだった。

ふたをした記憶。ふたをして紙で包み、紐《ひも》までかけて遠くにおしやったつもりでいた記憶。

なにもかも憶えていた。

あの街も、大学生活のありふれたたのしみの一つ一つも、友人たちも、順正との出来事のすべても。

妊娠がわかったとき、私はとても怖かった。若くて青かったのは、無論順正だけではないのだ。

あの日――雨が降っていた。つめたい、冬の東京の雨――、アパートに順正の父親だと名乗る人がきて、そばには誰だか知らない女の人もいて、彼女は名乗らなかったし、私も訊きはしなかった。

――誰だ？

父親だという人は私をみて不愉快そうに言った。お茶をいれようとすると、きみがそんなことをする必要はない、と苦々しげに言った。

病院でもらったもの一式――超音波写真や注意事項を印刷した紙――をみつけたのは女の人だった。

――ちょっと。

おどろいたように順正の父親に声をかけ、その声はたしかにおどろいたようではあったけれど、一方でどこかおもしろがっているようでもあった。

あの声を、いまでもときどき夢にみる。

中絶について、でも順正は自分を責める必要なんかない。堕胎は私が自分で決めたことだ。怖かった。自分では妊娠をよろこべなかったくせに、順正がよろこんでくれないと思うことが怖かった。堕《お》ろしてほしい。順正の口からその言葉をきくことには耐えられなかった。どうしてそんなことをした。そう言われるほうが百万倍もましだった。

もう、ずっと前のことだ。

木曜日、雨。ジュエリー屋の仕事をおえ、うちに帰るとシャワーを浴びた。アマレット・ロックをつくってのむ。

マーヴのジャガーが帰ってくるのがみえるのではないかと思って、しばらくベランダにでていた。グラスを揺らし、氷のたてる小さな音をきく。甘い、琥珀《こはく》色の液体。

ナイス・ガイによろしく。

順正はそう書いていた。

その人がきみをひどく大切に思っていることが、あいつにもわかったって。

とも。

そのとおりだ。私はお酒に唇をつける。

きのう、ゲストを見送りに、マーヴと空港にいった。小さなウイスキーグラスはいつものように私からのギフトで、マーヴが買ったのだが、ともかく私が手渡した。スタンドで最後のコーヒーをのみ、握手と形だけのキスをしてゲートで別れた。

仕事のお客が帰ってしまうと、マーヴはその場で私をうしろから抱きしめた。私たちはそのままそこに立っていた。ゲートの前を行き来する、あわただしい人の流れをみながら。

——パーフェクトだ。

マーヴは私の頭のてっぺんに唇をつけて言った。

——愛してるよ。

私は胸の前でマーヴの両手をおさえ、私たちはそんなふうにくっついたまま、まるで足を二人三脚の紐で結ばれているかのように交互にだして、ぎこちなく数歩歩いた。

ジャガーは戻って来なかった。

私は部屋の中に戻り、アマレットをつぎ足した。濡《ぬ》れた髪が首すじにはりついてしまう。

——あおいのうなじが大好きだ。

首すじにおしあてられた順正の唇を、いまでもはっきりと思いだすことができる。熱くやわらかい唇。

——どうしてそんなことをした。

あのとき順正は泣いていた。

——僕はきみを許せない。これからも許せないと思う。

私は彼を、あんなふうに傷つけるつもりではなかった。

信じられないくらい愛し合ったのに。なにもかもぴったりだったのに。ずっと一緒に生きるのだと思っていたのに。

気がつくと受話器をとっていた。

自分の指があの部屋の電話番号を——もう何年も思いだしたことのないその特定の数字の組み合わせを——正確にたたくのを、なにか不思議な気持ちで眺めた。

とても現実に起きていることとは思えなかった。

生々しい発信音がきこえ、途端に指先がざわついた。日本の電話の発信音。

はい、阿形です。留守にしております。お名前とメッセージをどうぞ。

息をのんだ。順正の声だった。くぐもってやわらかい、順正の声だ。

ピーッ、と、耳ざわりな音がした。

私はすっかり動転し、数秒間そのまま空白になっていた。それからあわてて受話器を置いた。鳥肌が立っていた。

「アオイ?」

玄関でマーヴの声がした。私は目をとじて、呼吸を整える。

一体何をしようとしていたのだろう。どうするつもりだったのだろう。

「ここにいたの？」

非の打ちどころのないコーディネイトの、モスグリーンのスーツ姿のマーヴが顔をだした。

「おかえりなさい。シャワーを浴びてたの」

背中に腕をまわし、爪先《つまさき》立ってマーヴの耳元で言った。マーヴは車の中の匂いがする。

ゴージャスな内装の、ゆったりしたマーヴの車の匂《にお》い。

「夕食はパスタでいい？　すぐに準備するから」

SUREとこたえるマーヴの落ち着いた声をききながら、私は着替えを手伝った。

あけっぱなしの扉窓から、雨を含んだ空気が流れ込んでくる。

第10章 バスタブ

la vasca de bagno

私の野原《La mia campagna》。

かつてそう呼んで愛した男の人がいた。野原のようにひろびろとした、屈託のない表情で笑う人だった。野原のように繊細な、それでいて心のどこかに野蛮なものを抱えた人だった。

日曜日、曇り。カエルの庭のそばの花屋で小ぶりの白バラを買った。リビングと洗面台とにわけて活ける。

「きれいだね」

ジムから戻ったマーヴが言った。

「アオイは部屋の中の静寂を深める花しか買わないね」

うしろから私を抱きしめてくれながら、マーヴはそんなことを言う。

「もっとにぎやかな花を飾りたい？」

いや《NO》、とこたえたマーヴのきっぱりした口調に、私はかすかないらだちを覚える。甘やかされることへのいらだち、許されていることへのいらだち、そして、傷つかれていることへのいらだちだ。私はマーヴを恒常的に傷つけている。

崇《たかし》に腹をたてないでやってほしい。

順正《じゅんせい》は手紙にそう書いていた。ほんとうに順正らしい書き方だ。人の好すぎる、気持ちの濃《こま》やかな——。

でも、崇に腹をたてずにいることはできない。順正の手紙は破壊だったから。小さな、でも決定的な。

「オフィスによったら××からファックスが届いてた。きみによろしくって書いてあったよ」

冷蔵庫からダイエット・コークをとりだして、500mlサイズのペットボトルに直接口をつけて一息に半分近く飲んだあと、湿った声でマーヴは言った。

「きみをすごく気に入ってたからね。エキゾティックな上に聡明《そうめい》だって」

××というのは、すこし前にミラノに滞在していたマーヴのゲストだ。

「僕はきみを、誇りに思うよ」

コーラで湿ったつめたい唇で額にキスをされたとき、眉根《まゆね》がわずかに寄ってしまったことに、マーヴが気づかないといいと思った。

誇りに思う？　私の何を？　ゲストに対する聡明な応対を？　マーヴの選ぶ上質な服の

着こなしを？「エキゾティック」な東洋人顔を？　訛《なま》りのない英語を？

そこまで考えて、自分にうんざりした。ひどく卑屈になっている。

簡単な昼食のあと、お風呂《ふろ》に入った。バスタブにお湯をためているあいだ、マーヴが首すじをマッサージしてくれる。午後になって雨が降りだし、私たちは、お風呂場の窓から雨を眺めた。

「一緒にはいる？」

お湯がたまると私は訊《き》いたが、マーヴはジムでシャワーを浴びたからいいとこたえた。マーヴがそうこたえることを、私は知っていて訊いたのだと思った。

「ゆっくりはいるといい。なんだかすこし疲れているようだから」

そう言って、マーヴは私の肩に軽く唇をつけてでていった。彼の大切な人形の肩に。

マーヴと暮らしはじめたころ、私はマーヴのおおらかさに救われた気がした。マーヴのウィットやたくましい腕や、英語という言語の持つ明晰《めいせき》さは私を安心させた。私たちのあいだに初めからある種のディスコミュニケイションがあって、たぶんどちらもそれを拠《よ》りどころにしているようなところがあった。臆病《おくびょう》な者どうしなのだろう。

お湯のなかで手足をのばす。

このごろ、私は以前にもまして怠惰に生活をしている。順正の情熱やひたむきさ、行動力に背を向けるようにして。

順正から、もう遠く離れたと思っていた。

崇に腹をたてないでやってほしい。

順正の自分勝手はあいかわらずだ。


子供のころ、母によくお風呂のなかで歌を教わった。白秋の「この道」や雨情の「雨」、「青い目の人形」といった歌たちだ。母はハスキーな声をしていた。

お返しに、私は校歌を教えてあげた。ミラノ日本人学校校歌。母は三番の歌詞を好きだと言った。その三番は、スカラの窓に灯がともり、今日もやさしく育ちゆく、これがミラノの我が母校、というふうに始まる。

母は、たぶん日本が恋しかったのだろう。父以外に頼る人もなく、言葉もできず、淋《さび》しかったのだろうと思う。いつも、ミラノの天気を陰鬱《いんうつ》だと言っていた。


お風呂のあと、マーヴと昼寝をした。一時間ほどして目をさますと、雨は依然として降りつづいていて、夕方というにはまだやや早い時間だったのに、部屋のなかはぞっとするほどつめたくうす暗くなっていた。私はマーヴの規則正しい寝息に耳をすませた。疲れた寝顔のように思えた。私はそっと、頬《ほお》ずりをした。

翌週も、天気の悪い日が続いた。七月とは思えない、肌寒い日ばかりだった。

夏休みは、結局またアメリカにいくことに決まった。飛行機の切符を手配して、アンジェラに電話で連絡をした。

白いバラはなかなか枯れなかった。

「今夜は外食をしよう」

朝、出がけに車の窓ごしにマーヴが言った。

「店に迎えにいく」

「わかったわ」

私はこたえ、運転席に首をつっこんで小さなキスをして、かすかに霧雨の降る中ドライブウェイに立って見送った。

私たちは週に二、三度外食をする。おちびさんに翻弄《ほんろう》されているダニエラに言わせると、「喉《のど》から手がでるほどうらやましい生活」だそうだ。

朝食の食器を洗っていると、玄関でドアのあく音がした。

「マーヴなの?」

タオルをつかみ、手をふきながらでていくと、廊下でマーヴのキスにぶつかった。

「忘れもの?」

「うん。送ってくよ」

マーヴは言い、リビングのソファに腰をおろした。

「仕度に何分くらいかかる？」

私ははじめ、マーヴが何を言っているのかわからなかった。

「送ってく？　なぜ？」

私は普段、歩いて店に通っている。図書館によるときは例外で、本が重いので自分の車に乗っていくけれど、元来歩くのは好きだし、マーヴもそれを知っている。

「雨だから」

「ああ」

私は苦笑した。たしかに私は雨が苦手だ。雨を理由に、マーヴに店に迎えに来てもらうこともある。

「それに、帰りのことがあるから、きみは自分の車が使えない」

私はもう一度苦笑する。

「傘くらい持ってるわ」

マーヴはにこりとして、使わせたくない、と、言った。

「やさしいのね《YOU ARE SO SWEET》」

私が雨を嫌いな理由を、このひとは知らない。

私はすぐに仕度をした。濃紺のスーツに水色のシャツ、ベージュのネクタイ、というきょうのマーヴの恰好《かっこう》に合うように、あっさりしたベージュのパンツスーツを選んだ。マーヴはやさしい。

全身を鏡に映して点検していると、背中に視線を感じたような気がした。ふりむくと誰もいなかった。

崇が言っていたよ。きみの恋人がナイス・ガイだったって。

順正はそう書いていた。

ミラノに戻っているそうだね。崇から聞いたよ。そこですっかり新しい生活をしていることも。

私はゆっくり目をとじて、順正の面影を追い払う。再び目をあけると、マーヴの待つリビングに急いだ。ここでの「新しい生活」のなかに。


店につくと、アルベルトが工房ですでに仕事をしていた。大きな作業台いっぱいに散らかったチェッラのかけら。

「おはよう。相変わらず仲がいいね。窓からみえたよ」

ラジオから、小さなヴォリウムで流れてくるDJの声、そして歌謡曲。雨の日、工房のなかは漆喰《しっくい》と薬品の匂《にお》いが濃くたちこめる。鮮やかなうすみどりの溶剤、美しいピンク色のアルコール。

私たちは一緒に朝のコーヒーをのんだ。

「熱心ね」

作業台にひろげられた何枚ものデザイン画を見ながら私は言った。

秋に、ジュエリー職人の技術を競うコンクールにでるとかで、アルベルトは研究に余念がない。競うことには関心がない、と言いながら、それでもいきいきとたのしそうなのは、たぶん生来の真面目《まじめ》さなのだろう。コーヒー茶碗《ぢゃわん》を持つアルベルトの、信じられないくらい白い、ほそい繊細な指先。

「雨、やまないね」

うたうような口調で言う。

「ほんとね」

私は熱いコーヒーに口をつけた。窓の外は何もかも隅々まで濡《ぬ》れ、白黒映画のように色をうしなっている。


テーブルはブリショラにとってあった。かつて貴族のお邸《やしき》だったというこの店の、肉料理がマーヴは気に入っている。

依然として雨は降りつづいていた。

料理はどれもおいしかった。私たちは食前酒のあとでワインを一壜《ひとびん》あけ、デザートのかわりに食後酒までのんだ。アメリカにいったら、今度こそ家族に会ってほしい。マーヴはそんなことを言った。

帰りは私が運転した。私の二倍ほどものんだマーヴは、うちに帰るとジャケットを脱ぎ、リビングのソファで眠ってしまった。バラは、部屋の静寂を深めるだけじゃなく、部屋の温度をすこし下げる、と、思った。それにたぶん、一人ずつの孤独を際立たせる。

「マーヴ」

私はマーヴを揺り起こそうとした。

「寝室まで歩いて。悪いけど、私にはあなたをかついであげることはできないもの」

できればいいのにと思いながら言った。マーヴをかるがるとかつぎあげ、ベッドに運ぶことができればいいのに。私には、できないことが多すぎる。マーヴのためにしてあげられたらいいのにと思うすべてのこと。

「アオイ」

マーヴが両腕をさしだしたので、私は乞《こ》われるままに身をかがめた。首にまわされるマーヴの腕。ごつい形の印象とちがって、触るとやわらかいマーヴのあご。私は目をとじて、石けんに似た、マーヴの匂いをすいこんだ。

その夜私は眠りが浅く、夜中に何度も目をさましたあげく、明け方にはもう眠れなくなってしまった。

マーヴの寝息をききながら、じっと天井をみていた。シーツの白、和紙を貼《は》った、まるいぼんぼり状の電気スタンド。私とマーヴのここでの生活を、崇は順正に、一体どんなふうに告げたのだろう。

息をつめ、ベッドをきしませないように気をつけながら、くたりと足に馴染《なじ》んだチャイニーズシューズに両足を入れた。

台所の椅子《いす》に腰掛けて、水を一杯のむ。オーヴンのデジタル時計は午前四時四十分を表示していた。しずかな、清潔な台所。私は下をむき、自分の足と、床の大理石模様とを眺めた。子供じみた単純さで。

そして、いやでも認めないわけにはいかなかった。手紙一つで、順正は私をこんなに混乱させることができると。簡単だと。

あの青インクの文字。

私はあの手紙をもう諳《そらん》じてしまった。あおい。突然手紙を書くことを、許してほしい。随分ひさしぶりだね。この手紙を一体どんな風に書き始め、どんな風に書き終えればいいのか、僕はさっきから頭を抱えている――。

あおい。

たったその一言で、順正の声がよみがえる。順正は、順正にしかできないやり方で、いつもその名前を発音した。あらゆる言葉を。誠実に、愛情をこめて。

私は彼に名前を呼ばれるのが好きだった。

あおい。

ごくわずかに躊躇《ちゅうちょ》して、やさしい声で呼んだ。その声の温度が好きだった。順正《じゅんせい》の声がききたかった。いますぐにききたかった。年月など、何の役にも立っていない。

いまならもっと上手《うま》く言えるだろうか。あれはあなたが悪かったわけではないと。怖かったのだと。私も子供すぎたのだと。あなたをうしないたくなかったのだと。淋《さび》しかったのだと。東京は、ミラノの日本人学校の中の日本と全然ちがっていたと。一人ぼっちだったと。子供のころからそうだったのだと。順正だけがそれをわかってくれたと。片時も離れたくなかったと。事実しじゅうくっついていて、兄妹みたいにどこへでも一緒にでかけ、なにもかもたのしかったと。幸福だったと。そして、あんなふうに別れたくはなかったと。

台所の電話は壁についている。立ったまま、長い番号をおした。

「はい、阿形《あがた》ですけど」

血管に鳥肌が立ったと思う。足がすくんだ。順正の声だった。留守番電話ではなかった。

「すみません、間違えました」

それだけ言うと、電話を切った。乱暴な切り方だったかもしれない。

「アオイ」

ふり向くとマーヴが立っていた。

「何をしてる?」

すぐにはこたえられなかった。まだ震えていたと思う。

「電話よ」

ひどく疲れていた。マーヴと話したくはなかった。

「わかってるよ。誰と話してたか訊《き》いてるんだ」

マーヴはこわい顔をしていた。茶色い目がかなしみをたたえていた。マーヴを傷つけたくないと思ったが、同時にどうでもいいような気もした。

「眠れなくて、東京のお友だちに電話をしていたの。むこうはほら、ちょうどお昼くらいだから」

「東京の誰?」

マーヴが信じていないのはあきらかだった。当然だ。いままで一度だって「東京のお友だち」に電話をしたことなどなかったのだから。

「友だちにしちゃあ一言で切っちゃったじゃないか」

私は自分の眉《まゆ》がつりあがったのがわかった。

「いつからそこにいたの? 立ちぎきしてたの?」

マーヴは自嘲《じちょう》的な苦笑いをした。

「心配することはないさ。僕はどっちみち日本語がわからないんだから」

私はため息をついた。

「やめましょう、ばかばかしい。なんでもないの。結局誰とも話してないんだから」

「どこにいく？」

でていきかけた私を、マーヴが呼びとめた。

「お風呂《ふろ》よ。バスタブにお湯をためにいくの」

マーヴは大きいので、入口をふさがれると威圧感があった。

「またバスタブに逃げこむのかい？」

私は両手をひろげ、首をかしげた。

「何？　どうしたっていうの？」

今度はマーヴがため息をついた。ひどくゆっくりした口調で、

「話をしよう《LET'S TALK》」

と言う。

「何の話？《TALK WHAT》」

冷蔵庫が低くうなった。

「アオイは僕を何だと思ってるんだ。まぬけか？　愚鈍か？　僕が何も気付かないとで

も？」

私は黙った。その通りだと思ったからだ。

「いいえ」

かろうじてこたえた。

「あなたはまぬけでも愚鈍でもないわ」

奇妙なまができた。

「わかった。じゃあ、話をしよう」

Let's talkと、マーヴはおなじことを言った。

「Talk what?」

私もおなじことをこたえた。再びまができたが、今度のまは永遠のように思えた。とうとうマーヴが口をひらいた。

「何もかもだ」

私はただじっとしていた。

「また黙る。きみとはけんかもできないのか」

マーヴは許してくれなかった。容赦がなかった。許してくれるつもりはもうないようだった。

「どうしてなんだ。どうして閉じこもる。責めてるわけじゃない。ただ話してほしいだけだ」

マーヴの顔が苦々しく歪《ゆが》むのを、私はただじっとみていた。おなじだ、と思った。昔、順正にもおなじことを言われた。

その瞬間、私は完璧《かんぺき》に理解した。私はこのひとをうしなうのだ。いままさにうしなおうとしている、、、、、、のだ。

マーヴは手をゆるめなかった。

「僕があの手紙に気付いていないとでも思ってるのかい？　きみが後生大事にクロゼットにしまいこんだあの手紙に？」

私は表情を変えなかったと思う。

「話してくれないのか？　あの手紙が誰からきたもので、いま誰に電話していたのか」

私は返事をしなかった。ただ、ひどくお風呂に入りたかった。

「アオイ？」

「あなたは詮索《せんさく》しないと思ってた。あなたはそんなこと言わないと思ってたわ」

マーヴがほんとうにおこったのはこの瞬間だったと思う。

「あなたはって、一体誰とくらべてるんだ」

マーヴはWhoを連発した。

私が石のようにおし黙っていると、マーヴはやがて壁を手で一度強く打ち、

「Fuck!」

と吐きすてるように言ってでていった。寝室のドアが乱暴に閉まった。

すでにあかるくなり始めていた。

私は台所の椅子にすわったままじっとしていた。何年も前に順正をうしなったときのことを思いだしていた。

——なぜ別れなくちゃいけないの？

私にとっては縋《すが》ったも同然の、やっと言ったひとことだった。

——なぜだって？

順正はおどろいたようだった。

——きみっていう人は。信じられないな。

順正はどんどん傷ついていくようだった。

——いままでとおなじようにやっていけると思ってるのか？

傷つくと攻撃的になるのは男の人の性質なのだろうか。

——あきれるな。

吐き捨てるように言った。順正はあのときブルーグレイのセーターを着ていた。変なことを憶《おぼ》えているものだ。

――でていってくれ。

そう言ったとき、順正はもう私の顔をみてくれなかった。

冬で、羽根木公園には霜がおりていた。

でていかせないで。

あのときもいまも、その言葉は、でも頑として、唇の外側にはでていかない。

マーヴは朝食をとらずにでていった。

マーヴのでかける音をきいてから、私はバスタブにお湯をはり、ゆっくりお風呂に入った。それから鞄《かばん》に荷物をつめた。

第11章　居場所

c'è posto

アルベルトが銀賞をとった。ジュエリー職人の技術を競うコンクールで、最終審査の様子はテレビで放映された。自由創作の他に、一定の時間内にどれだけ正確に、どれだけの量の仕事をこなせるか、また、与えられた材料でどれだけオリジナリティの高いものをつくれるか、などを競うもので、そのテレビ番組自体、かなりエンターテインメント性の高いものだった。

勝敗はどちらでもよかった。黙々と作業をするアルベルトの熱意と誠実さが清々《すがすが》しく、テレビの前で、私もダニエラもルカも素直に声援を送った。金賞ではなかったけれど、観おわって、私たちはみんな、よかった、と、言いあった。部屋の隅ではアレッシアが小さな寝息をたてている。

一九九九年、秋。私がマーヴのアパートをでて、三カ月になる。

「もう一本のむ?」

空になったワインの壜《びん》を持ち上げて、ダニエラが訊《き》いた。

「いいえ、だめ。もういかなくちゃ」

私がそうこたえて立ちあがると、ダニエラもルカも軽く首をすくめ、ゆっくりしていけばいいのに、と、言う。温かい、私の友人たち。

「泊っていけばいいのに」

ルカがそう言ってくれるのをききながら、私はジャケットを羽織った。眠っているアレッシアの顔をみて挨拶《あいさつ》し、ダニエラとルカの頰《ほお》にキスをして、おもてにでる。空の澄んだ夜だ。ミラノではめずらしく、星がよくみえる。

「気をつけてね」

手をつないだ二人に見送られて車に乗った。ベンツではなく中古のフィアットだ。深緑色をしている。車なんて、走ればなんだってかまわない。シートベルトをしてエンジンをかけた。

マーヴのアパートをでた日、私はダニエラのうちにころがりこんだ。ダニエラは快く泊めてくれたし、何度も感きわまって私を抱きしめてくれながら、私の話をきいてくれた。でも無論、わかってもらえるはずはなかった。三週間後にいまのアパートを借りるまで、私はあそこに居候していたのだけれど、そのあいだずっと、ダニエラは私に、マーヴの元に戻るべきだと言いつづけていた。

――マーヴはあなたを愛してるのよ。

あの夏の日の夕方、ひとしきり話をきいてくれたあとで、つめたいお茶をだしてくれながら、そんなことを言った。

――アオイはもうすこし大人になった方がいいと思うわ。

――その通りね。

私が言うと、ダニエラはあきれ顔をした。

――言わせてもらえば、マーヴは完璧《かんぺき》よ。

私は弱く微笑《ほほえ》み、またしても、

――その通りね。

と、言うしかなかった。

夜になると、マーヴが迎えに来た。

――ともかく一緒に帰ってほしい。

まだおこった顔のまま、それでも努めて冷静に、穏やかに、マーヴはそう言った。

――話は時間をかけてすればいい。

でも、私には話すことがなかった。一つも。それだけははっきりしていた。だから、帰ることはできない。

マーヴは次の日もう一度やってきた。おなじことだったし、マーヴもそれを知っていた。

――頑固だね。

マーヴは言い、淋《さび》しそうにわらった。

――あきらめないよ。あのうちで、きみが帰ってきてくれるのを待ってる。

私には、帰るというのがどういう意味なのかわからない。帰る場所。それをずっと探していたような気がするけれど、一度も手に入れたことがないようにも思う。

順正に会いたい。

奇妙な情熱で、ただそう思う。会ったところでどうしようもないことはわかっている。昔のように恋ができるとは思わない。東京が私の帰る場所だとは思えない。ただ、順正と話がしたかった。私の言葉は順正にしか通じない。


ナヴィリオ運河近くの小さなアパートは、バスタブが大きいというだけの理由で決めた。ささやかな台所のついたリビングの他に小さなベッドルームが一つあるだけの、ごく小ぢんまりしたアパートだ。壊れそうなエレベーターを使って三階までのぼった、つきあたりの部屋。ベランダにでると、石畳の坂道がみえる。日あたりは悪いが、しずかで私には居心地がいい。

ジュエリー屋でのアルバイトは、今月からまたフルタイムにしてもらった。マーヴと出会い、一緒に暮らし始める前までのように。店にいるあいだは、すくなくともすることがあるので落ち着く。仕事は精神状態を安定させてくれる。

あいかわらず、私の行動範囲はおどろくほど狭い。アパートと、店と、図書館と。あとは店のそばのセンピオーネ公園と、ダニエラのうちとスーパーマーケット、ときどき散歩にいくカエルの庭くらいだ。

本の虫。

子供のころに言われた言葉そのままに、店でも客のいないあいだは本を読んでいる。結局のところ、人はあまり成長しないものなのかもしれない。

アルベルトにお祝いの電話を、ダニエラにお礼の電話をかけてからお風呂《ふろ》に入った。アルベルトは留守だったので、テープにメッセージを残した。寝る前にはいまでもアマレット・ロックをのむ。でも、ここにはクリスタルのカットグラスなどないので、普通のコップについでのんでいる。

アルベルトのお祝いのパーティは、ジュエリー屋のそばのレストランでひらかれた。ごく親しい人たちだけが集まった、心のこもった会だった。競技の日の高揚ぶりが嘘《うそ》のように、アルベルトは終始はにかんで、言葉すくなでむしろ居心地が悪そうだった。

「あら、きょうはマーヴは？」

何人かの人にそう訊かれた。アルベルトのガールフレンドの友人にとか、店のお客にとか。そのたびに私は首をすくめたり微笑んだり、あれはおわったの《Quello è finito》、と言ったりしなければならなかった。エスコートなしのパーティ。レストランの中は音楽がやかましく、暖房と人いきれとでむっと暑く、香水と料理とアルコールのまざった匂《にお》いがする。

「大丈夫?」

ときどきダニエラが声をかけてくれた。

途中でジーナとパオラが歌をうたった。そのときばかりはBGMもとまり、歌がおわると会場じゅうから歓声があがった。日頃から陽気なパオラは勿論《もちろん》、気むずかし屋のジーナも、早目に帰りはしたが楽しそうだった。

真面目《まじめ》で、職人というより工作好きな少年のような顔で仕事をするアルベルト。彼のために、みんなこの受賞をよろこんだ。

パーティのあと、ダニエラとルカ、アルベルトとガールフレンドの五人でBiffiにいった。Biffiは、ジーナやパオラ、それにフェデリカの贔屓《ひいき》の店だ。古い、小さなバール。

「おめでとう」

私はあらためて言い、グラスを合わせた。

「受賞そのものより、あんなふうにみんなに祝福されたことが嬉《うれ》しいよ」

アルベルトは言った。

「人生が幸福なものに思える」

とも。そして、その言葉は、なぜだか私をひどく孤独にした。

十一月になると、雨の日がつづいた。肌寒い、陰鬱《いんうつ》な、この街の雨。

マーヴはときどきジュエリー屋に顔をだしてくれる。昔みたいに。あいかわらず大きくて、スーツがよく似合い、おおらかで、清潔な匂いのするマーヴ。

——どう思う？

いくつかの品物を見較べて、必ず私の意見を訊くマーヴ。でも、私たちはもう一緒に帰ることはないし、私が食事や映画やお酒に誘われることもない。

日々はしずかに流れていく。私の外側で。マーヴやダニエラやアルベルトだけをのせて。

アパートの玄関にポスターを貼《は》った。気まぐれに観た展覧会で気に入って買ったものだ。アメリカの図書館の、読書週間のポスター。

部屋の中に花を飾ることはしなくなった。お金がないし、花を飾ると余計に孤独な気分になるからだ。

仕事以外の時間を全て自分だけのために使えるというのは随分と自由なことだ。自由で手持ち無沙汰《ぶさた》な。

あいかわらず私は一日に何度もお風呂に入り、お風呂の中で本を読んでいる。

——またバスタブに逃げこむのかい？

あの日マーヴはそう言った。マーヴは正しい。正しくてフェアだ。

最近、モーツァルトばかり聴いている。モーツァルトの旋律の、バランスのとれた美しさが気に入っている。

——ラムスキンのハーフコートを送ろうか？　ワインカラーの、裏にファーのついた。

このあいだ、マーヴはそんなことを言った。

——勿論郵送にするよ。自分で届けたりしないから心配しなくていい。

冗談めかせてそう言って笑った。でも、コートは送ってもらわないことにした。美しい下着たちも仕立てのいい靴も、高価なジュエリーもあたたかな冬服も。

私の荷物はとても少ない。マーヴと出会ったとき、私は何も持っていなかった。いままた、何も持っていない。

——僕が持っていても使えないよ。

それはそうだけれど、あれは私のものではない。いつかマーヴに新しい恋人ができたら、その女性が処分するだろう。

あのアパートに残したもので、気がかりなものは一つしかない。

Indirizzo《住所》

もしもまた順正から手紙が届いたら、マーヴは転送してくれるだろうか。

たぶん。

マーヴはフェアだから。大人だから。やさしいひとだから。

では電話だったら？

そこまで考えて、自分にうんざりしてしまう。私は一体何を待っているのだろう。

一方で、私は終始マーヴを恋しく思っている。夜がくるたびに、一人のベッドのはてしなさにぞっとする。マーヴの肌や匂いや、体温や寝息に焦がれている。誰かと暮らすということ、誰かがいつもそばにいてくれるということ。順正とは、互いにしょっちゅう泊りあいはしたものの、一緒に住んだことはなかった。誰かと生活を共にすることの安心も温度もわずらわしさも、私はマーヴに教わった。

——あきらめないよ。あのうちで、きみが帰ってきてくれるのを待ってる。

低くて落ち着いたマーヴの声を、そんな夜にばかり思いだしてしまう。

アマレットというお酒は、クリスタルグラスでのんだ方がずっとおいしい。

帰る場所。

人は一体いつ、どんなふうにして、それをみつけるのだろう。

眠れない夜、私は、人恋しさと愛情とを混同してしまわないように、細心の注意を払って物事を考えなければならない。

「お母様はお元気？」

皺《しわ》の刻まれた手で煙草に火をつけて、いつものようにフェデリカが訊《き》いた。雨の土曜日。

ミラノに結局馴染《なじ》むことのなかった母を、どうしてフェデリカがいつまでも気にかけているのか、私にはよくわからない。

「フルタイムの仕事にはもう馴れた?」

ええ、とこたえて、ゼリー菓子を一つつまんだ。不透明なピンクのガラスの菓子鉢は、昔からここにある、なつかしいものだ。私が小学生だったころ、この鉢にメランダをどっさり盛って、牛乳と一緒にだしてくれた。

「忙しくて、やり甲斐《がい》があるわ」

事実、アルベルトの銀賞以来、店はますます繁盛している。

「それはよかった」

フェデリカはにっこり微笑《ほほえ》んで言った。しずかな午後だ。ラジオから、しぼったヴォリウムでトークショーが流れている。

「クリスマスは日本にいくの?」

フェデリカが唐突にそんなことを訊いた。

「日本に? いいえ。なぜ?」

フェデリカはそれにはこたえずに、煙草の煙をほそく吐く。甘い香り。

「クリスマスはここにいるわ。たぶん」

まだ何も決めていないが、モラヴィアの自伝を読もうと思っている。

「なぜ？」

フェデリカが訊いた。

「え？」

「なぜ日本にいってみないの？」

今度は私が黙る番だった。

「アメリカ男と別れたのには、それなりの理由があるんでしょう？　理由なり、決心が」

私は首をかしげた。何を言われているのかわからない、というふうに。そして、

「決心なんて」

と、だけこたえた。

「そんなの何もないわ」

と。

フェデリカは、茶色い目に微笑をたたえたまま、

「ほんとうにそれでいいの？」

と訊いた。部屋の中でもきちんとヒールのある靴をはき、膝《ひざ》を揃《そろ》えて腰掛けるフェデリカ。

「私があのアパートをでたのは」

私は言った。

「あそこが私の居場所ではないと思ったから。日本が私の居場所ではなかったのとおなじようにね」

母とちがって、私はこの街の人間なのだ。国籍はどうあれ。

窓の外は依然として雨が降り続いている。音もなく、それでいて一向にやむ気配もなく。

「アオイ」

フェデリカの部屋は不思議だ。部屋全体がフェデリカのよう。

「はい？」

煙草をはさんだ指先には、きょうも御主人に贈られた猫目石の指輪がはめられている。

「人の居場所なんてね、誰かの胸の中にしかないのよ」

フェデリカは、私の顔をみずにそう言った。半ばひとりごとのように。

帰りにカエルの庭によった。雨なので、屋根のある回廊をひとわたり歩く。どんよりと、低くたれこめた空。庭は十字形の小道に沿って、きれいに四等分されている。中央の噴水を囲むように、四本の木、四匹のカエル。白木蓮《はくもくれん》の枯枝は、周囲の緑とアーチのせいで、ラファエロ前派の絵をおもわせる。

誰かの胸の中。

雨の匂いのつめたい空気をすいこんで、私はそれについて考える。私は、誰の胸の中にいるのだろう。そうして誰が、私の胸の中にいるのだろう。誰かが、いるのだろうか。

順正《じゅんせい》に会いたい、と、思った。順正に会って話をしたい。ただそれだけだった。


うちに帰ると、バスタブにお湯をためてお風呂《ふろ》に入った。今度のバスルームは広いけれど殺風景だ。壁のペンキはあちこちはげてしまっているし、タオルかけにかけたタオルのピンク色が、なんだかわびしい。シャンプーの大きなボトル、洗濯用の洗剤。

夜になって、ダニエラから電話がかかった。ルカと外食をしたので、私の顔をみによると言う。私がマーヴと別れてからというもの、ダニエラはよく、そんなふうに気をつかってくれる。

二人は十時前にやってきた。玄関の、ポール・ランドという画家の描いた黒いポスター──一九五八年の読書週間のポスター──の前でひとしきりキスだの抱擁だのをして、居間で一杯ずつお酒をのんだ。クラッカーと、壜詰《びんづ》めのオリーヴをだした。

「元気？」

アレッシアをどちらかの母親にあずけて、彼らはこのごろ、ときどきこうして外出をする。

私は昼間フェデリカを訪ねたことや、先週観た映画のことを話した。

「素敵なブレスレットね」

ダニエラは、私が最近買った銀の腕輪をほめてくれた。

二人はきょうノヴェチェントで食事をし、ダニエラは食後にあの巨大なクレープを、一人できれいに平らげてきたところだと言う。

「またみんなで映画にいきたいね」

ルカが言った。かつて、木曜日の夜になると四人ででかけた。

「そうね」

私はにっこりしてこたえたが、三人でいくつもりも、また、いかれる気も、しなかった。

「忙しいの？」

私はルカに訊いた。ルカは肩と眉毛《まゆげ》をいっぺんに持ち上げて、どちらともとれるゼスチュアをする。

「近いうち一緒にお買物にいきましょう」

ダニエラが言い、私は、

「いいわね」

とこたえて、ワイングラスを持ちあげた。

私の生活。私の街。時間は確実に流れていく。ダニエラやルカのような友人がいて、フェデリカがいて、仕事があって、ジーナやパオラやアルベルトがいる。これ以上、何を望むことがあるだろう。

十二月になると、何枚かのクリスマスカードが届いた。イギリスに住む両親や、アメリカにいるアンジェラからだ。アンジェラのカードには、夏の旅行が中止になり、会えなくて残念だったこと、マーヴと私が別れてしまって残念に思うこと、それから、マーヴなしでもかまわないから、アメリカに来たら連絡してほしいこと、などが書いてあった。すべてアンジェラらしい素朴さとそっけなさとで書いてあり、無論それは温かいものだったのだけれど、私はそれを読んで、自分がほんとうにマーヴと別れてしまったのだと思い知らされた気がした。孤独なとき、親切や友情はその孤独を際立たせる。

冬は記憶を蘇《よみがえ》らせる季節だ。

母のつくるスープ、ダニエラと白い息をはずませてかよったバレエ教室、マーヴと歩いた街、そして順正。

——あおい。

順正は、約束の時間にいつもすこし遅れた。私はちっとも構わなかった。本を読んで待っていた。順正を待つ時間が好きだった。たとえば梅ヶ丘の駅前の、小さなデリカテッセンで。サラダの種類の豊富な店だった。ローストビーフサンドイッチがおいしかった。窓から踏切とプラットフォームがみえた。クリスマスにはシャンペンをのんだ。学生らしいつつましさで、小さなデリカテッセンで。順正の着ていたダッフルコートを憶《おぼ》えている。その順正を、失ったのもまた冬だった。乾いた、寒い、東京の冬。

話があるの、とパオラに言われたのは、クリスマスも近くなった頃だった。それで私はその日、店を閉めたあとそこに残った。アルベルトも残っていた。

「じきにジーナも来るから、それまでお茶でものんでいましょう」

パオラが言い、アルベルトが準備をした。アルベルトはお茶をいれるのが上手《うま》い。店の中は暖房がきいてあたたかく、入口のわきにポインセチアの鉢植えが置いてある。それでも、閉店後の店はなんとなく淋《さび》しい。

やがてジーナが犬を連れて現れた。

「寒い。雪がふりそうよ」

顔をしかめてそう言った。

「さて、揃《そろ》った」

パオラがにこやかにきりだした。

「話というのはね、簡単なことなの。アンティークの商売をたたもうと思って」

びっくりした。

「私もジーナもこんな歳だし。幸い創作物がよく売れているから――支店も二つ目ができたし――私たちはなにも心配していないのよ」

パオラは笑顔のまま説明する。

「あなたたちの仕事は何もかわらないのよ。店は大丈夫」

ジーナは小さなスツールに腰掛けて、膝に抱いた犬をなでている。細すぎる足だ。

考えてみればそれはもっともな話だった。アルベルトを中心にした工房の職人がつくる創作ジュエリーに較べ、ジーナとパオラの買いつけてくるアンティークは年々動かなくなっている。パオラはともかく、足腰の弱くなったジーナに、これ以上買いつけは重荷なのだ。

「潮どきなのね」

ふっくらした横顔で微笑《ほほえ》んだまま、パオラがわずかに淋しそうな声で言った。

「アオイもアルベルトも淋しがってくれることはわかってたわ」

私はどうこたえていいかわからなかった。アルベルトは紅茶茶碗《ぢゃわん》をもてあそんでいる。

「仕方がないね」

顔を上げ、はっきりした声で言った。

「そういうこと」

ジーナも言い、私は結局最後まで口をひらけなかった。私が口をだすことではない、という気もしたし、仕方がない、というのもわかった。でも淋しかった。ききわけのない子供のように、ただ途方に暮れてしまった。

「そんなにしょんぼりしないで」

パオラが言った。

「いまある分だけでも当分もつわ。売れやしないもの」

最後には、可笑《おか》しそうにそう言った。その通りだった。

日々はただ流れていく。私の外側で。

クリスマスにはマーヴから花束が届いた。深紅の薔薇《ばら》の、大きな花束。マーヴらしい。

そう思ったけれど、うちにはそんなに大きな花びんはなくて、仕方がないのでパスタ鍋《なべ》に入れてお風呂場に置いた。殺風景なお風呂場に。

第12章　物語
la storia

春。アレッシアはおぼつかない足どりで前のめりに歩き、ルカは顔の下半分に、平和な不精ひげをはやしている。もともと上半身にヴォリウムのあったダニエラは、最近また太ったのだと気にしている。パスクワ《復活祭》の連休最後の日、私たちはイゼーオ湖畔にピクニックに来ている。

湖のまわりは遊歩道をはさんで芝生がひろがり、たっぷりと葉のしげった丈高い並木が、具合いのいい木陰をつくっている。いいお天気の月曜日。

三月はお祭りの季節だ。着飾った子供たちが広場をねり歩くカルナヴァーレに始まり、ドンナの日――今年もマーヴからミモザが届いた――、街じゅうに国旗のはためくチンクェ・ジョルナーテ、聖ジュゼッペ、そして、パスクワの三連休。マーヴと暮らしていたころは、ドンナの日以外何もしなかったけれど、今年はダニエラと一緒にたくさん楽しんだ。アレッシアを連れてカルナヴァーレにいったし――昔、ダニエラも私もワンピースを着てねり歩いた。ある年ダニエラが頭にティアラをのせていたことまでよく憶《おぼ》えている――、先週はオリーヴの枝をもらいに教会にもいった。ハトをかたどったお祝いパンも食べた。なつかしい行事たち。最後までイタリアに馴染《なじ》まなかった母でさえ、この季節はほんのすこし楽しそうだったことを思いだす（玄関の一輪ざしに活けられた、父に贈られたミモザの花）。子供のころから慣れ親しんだ、この国の、この街の生活。

「すこし風がでてきたね」

ルカが言った。ダニエラは、ほんと、とこたえてアレッシアにブランケットをまきつける。ベビーピンクの、小さくてやわらかなブランケットだ。私はそんな三人の様子を眺めながら、ポットの紅茶を啜《すす》った。ダニエラのつくった甘い紅茶。

「もうじきアオイの誕生日ね」

ダニエラがふいに言った。

「まだ先よ」

誕生日。五月に、私は三十歳になる。

「何か予定はあるの？」

つまり、その、マーヴと、と、遠慮がちにつけたす。

「マーヴと？」

私は眉《まゆ》をつりあげてみせた。

「ないわ。あるはずがないでしょう？」

私たちが別れて、もう八カ月になるのだ。ダニエラは首をすくめる。

「連絡はあるんだろう？」

ルカがたすけ舟をだした。

「誕生日に、彼がアオイをほっておくとは思えない」

「それを言っているの」

ダニエラがうなずく。

私の誕生日、マーヴは毎年、上等なレストランにテーブルをとってくれた。贈り物を用意し、朝、起きてすぐにまぶたや頭のてっぺんに、お祝いのキスをしてくれた。

手をはなしてしまったもの、遠くにやってしまったもの。

「でも」

ダニエラが言った。

「でも、もし予定が入らなかったらうちに来てね。お誕生日を一人ですごしたりしちゃ絶対にだめよ」

湖を渡ってくる風は、ひんやりした水の匂《にお》いだ。

「そろそろいきましょう。車が混んでしまわないうちに」

私は言い、立ち上がってジーンズのおしりをはたく。

四月になると、季節が後退したかのように肌寒い、雨の日が続いた。後退、という言葉はなんとなく私にふさわしい。自嘲《じちょう》ぎみに、そんなことを考える。

雨の日、店の中はなつかしく安心な匂いがする。小さなパネルヒーターのつくるあたたかな空気。ガラスごしに、濡《ぬ》れそぼった道とバス停がみえる。

今朝、いつものようにアンティーク・ジュエリーの入ったケースを磨きながら、ふと、宝石をみる目をやしなうにはどうすればいいのだろう、と、考えた。たとえばいま目の前にある百年前のルビー——それは比較的小さな、でもすばらしく甘く愛らしいルビーで、歴史を感じさせる鈍色《にびいろ》のプラチナのアームに、さらに小さなダイヤと共に埋め込まれた指輪なのだが——が、ジャンクなルビーやルビーでさえない色石や、精巧な贋物《にせもの》の山の中に埋もれていたら、私はこの美しい宝物を発見できるだろうか。

アンティークの商売をたたむというパオラの言葉は、私に奇妙な後悔をさせ始めている。彼女たちの買いつけに同行し、わずかずつでもその方法を教えてもらっていたら——。

アンティーク・ジュエリーは物語を持っている。私はそこに惹《ひ》かれるし、アルベルトの創るジュエリーのセンスも質のよさも認めるが、まだ物語を持たないそれらの物たちは、私の目には、ただの商品にしか映らない。ジュエリーの持つ物語。愛された女の、そしてまた、愛されなかった女の——。

ドアブザーが鳴り、手元のボタンでロックを解除した。ガラスドアの向うで、マーヴの大きな体が横向きの姿勢で傘をたたんだ。

「ボンジョルノ」

ただの挨拶にさえ特別な響きを持たせてしまうマーヴの、低くなつかしい声。

「ボンジョルノ」

私はできるだけからりとした声と笑顔で迎えた。

「よく降るわね」

まったくだ、とこたえたマーヴの英語を、母国語のように安心に感じた。

「きょうは？　ゲストへのおみやげ？　それとも誰かに贈り物？」

「いや」

マーヴは言い、私の正面に立って私をみる。どこへいくにも車を使うマーヴは、おもての気温の低さにもかかわらずワイシャツ姿だ。ぱりっとのりのきいた水色のシャツ。

「来月、帰国することに決まった《I HAVE TO GO BACK》」

それは思いがけない言葉だった。

「帰国《GO BACK?》？」

つい訊《き》き返すとマーヴは首をすくめ、

「会社の決めたことだから」

と言った。

「でも、あなたのやっている会社でしょう？」

マーヴは苦笑する。それから、いたずら好きの子供のような表情で、

「一人でやっているわけじゃない」

と言った。

「来月のいつ？」

「さあ。中旬くらいかな。準備ができ次第」

私は言葉をみつけられなかった。

「でも、また戻ってくるんでしょう？」

どうかな《WHO KNOWS》、とこたえたマーヴの、大きな体をすでに遠く感じた。ここにいるのに、いないひとのように。

「それで《WELL》」

一つ息をすい、マーヴは言った。

「アオイに一緒に来てほしい」

このひと独特の、落ち着いた様子と明晰《めいせき》な口調。それでも、そのすぐ裏には大きな緊張と不安が隠されていることが、いまの私にははっきりとわかる。

「ええと《WELL》」

私も言い、一つ息をすったが、マーヴがつづきをさえぎった。

「まだこたえないでほしい」

　プリーズ、と、つけたす。

「本気で言ってるんだ。僕の人生に、アオイにいてほしい。過去はどうでもいい。二度と詮索《せんさく》はしないし、話したくないことは話さなくていい。ただ、一緒に来てくれればいいんだ」

　マーヴが黙ると、急に雨の気配が濃くなったように感じた。つめたい、四月の雨。そして、石けんに似た、マーヴの匂《にお》い。

「気持ちが決まったら電話してくれないか。どこかで食事でもしよう。その、返事がどうあれね」

　マーヴは微笑《ほほえ》み、

「僕の——僕たちの、だといいんだが——帰国と、君の誕生日を祝して」

　と、つづけた。

「いいね？」

　勿論《もちろん》よ、とこたえるほかに、どんな返事ができただろう。

「準備って大変なの？」

　私が訊くと、マーヴは、いや《NOT,REALLY》、とこたえ、私はそれを、とてもマーヴらしいと思った。

「Good」

私たちは微笑み、マーヴは店からでていった。雨の中に。ミラノの街の中の、小さなアメリカに。彼の人生のある場所に。

仕事をおえ、うちに帰ると九時近かった。階段をのぼり、玄関の鍵《かぎ》をあけ、ポスターに迎えられる生活にもう馴《な》れた。小さなアパートの小さな台所。スープとパンの夕食のあと、バスタブにお湯をはって、ゆっくりとつかった。バスタブの中で手足をのばす。窓をほそくあけ、夜の雨の匂いをかいだ。

――アオイに一緒に来てほしい。

マーヴは、まっすぐに私の目をみてそう言った。フェアに、誠実に。アメリカ。

わかっていたことだ。マーヴにはマーヴのいるべき場所があり、生きるべき物語がある。

――僕の人生に、アオイにいてほしい。

最後だ、と、知っている。マーヴがそんなふうに言ってくれるのは最後だ。何年ものあいだ、いつもそばにいてくれたマーヴ。

気がつくと私は眉根を寄せ、バスルームの壁をにらんでいた。がらんとした、白い、つめたいバスルーム。Izisの写真も、白く地厚な上等のタオルも、首を揉《も》んでくれるマーヴもいないバスルーム。

私は目をとじて、小さく息を吐いた。

――帰国と、君の誕生日を祝して。

マーヴはそんなことも言った。私の、誕生日。

――いいよ。二〇〇〇年の五月か。もう二十一世紀だね。

屈託のない笑顔で順正が言い、私の三十歳の誕生日に二人でフィレンツェのドゥオモにのぼろうと約束したあの日、こんなところで一人で――あいかわらずつむじ曲がりの本の虫のまま――バスタブにつかっている自分の姿は想像もしていなかった。

――フィレンツェのドゥオモ？　どうしてそんな場所で？　ミラノのドゥオモではいけないの？

順正は不思議そうな顔をした。

ずっと、順正といるのだと思っていた。私たちの人生は別々の場所で始まったけれど、きっとおなじ場所でおわるのだと。

出会ってしまった、と、思った。郊外の小さな大学で、東京という不思議な街で。ずっと、順正といるのだと思っていた。離れられない、と。

――あおい。

やわらかな声で順正に名前を呼ばれると、それだけで私は幸福にみたされてしまえた。

――愛してる。苦しいくらいだよ。

若く真剣なまなざしで、しずかにそう言った順正。

もう過ぎたことだと知っている。約束は、私たちが幸福だったころの思い出にすぎない。

ざばりと水音を立ててバスタブからでる。安っぽいピンク色の――一体何だってこんな色を選んでしまったのだろうと使うたびに思う――バスタオルで雫《しずく》を抱きとった。裸のまま台所にいき、水をのんだあと、小さなコップにアマレットを注いだ。

雨は依然として降りつづいている。

「マーケットに？」

パオラは怪訝《けげん》な顔をした。午後二時、店は昼休みで、私たちは奥の事務所で食後のコーヒーをのみ、クッキーをつまんでいた。

「ええ。一緒にいっていただけませんか？」

アンティーク・ジュエリーのマーケットはいくつもあるし、買いつけをするのに特別な資格はない。でもだからこそ、目と経験の問われる世界だ。

「それはかまわないけれど」

きょうのパオラはカナリアイエローのブラウスに、仕立てのいいグレイのスカートをはいている。

「でもどういう風のふきまわし？」

私は曖昧《あいまい》に微笑んだ。

「一度いってみたいんです」

チェルト《勿論よ》、ノンアプロブレマ《問題はないわ》。くだいたナッツの入った小さなクッキーを一つ口に入れ、パオラは請けあってくれた。

ゆうべマーヴに電話をかけた。一緒にはいかれない。そう言うのだから早い方がいい。そう思いながら、あれから一週間がたってしまっていた。

——どんなふう《HOW ARE THE THINGS》？

私が訊くと、マーヴはおおらかに、

——物事は順調《THINGS ARE OK》だよ。

と、こたえた。私が黙ったのは、そのやりとり自体が、ふいに耐えられないものに思えたからだ。

——きみは元気？

その質問にはこたえずに、

——いますぐそこにいって話したいの。

と、言った。

——いま？

マーヴはおどろいたようだった。

――ええ、いま。

私が言うと、マーヴは一瞬沈黙し、

――いやだな。

と、言った。数秒前とはあきらかに違う、低い、淋《さび》しい声だった。

――きみは僕の望んでいないこたえを持ってくる。そうだろう？

違うわ、と、言えたらどんなによかっただろう。

――後悔するわ。

かわりに私はそう言った。

――わかってるの。私はきっと後悔する。知らないなら教えてあげるけど、あなたは完《かん》璧《ぺき》よ、マーヴ。

電話の向うで、苦く微笑む気配がした。

――なぐさめてくれてるのかな。

半分は断じてノーだが、半分はイエスだった。マーヴは完璧だ。それは心から正直な気持ちだった。でも、私は後悔はしない。後悔は使い果たしてしまったのだ。何年も前に、すでに。

――まさか。

私は最後の嘘《うそ》をついた。

再び短い沈黙が流れた。

――帰国の日は決まったの？

――ああ。予定がすこしのびてね、五月の三十一日に。

五月三十一日。あとひと月だ、と、思った。あとひと月で、マーヴはミラノからいなくなってしまう。ミラノから、そして私の人生から。

「アンティークの商売をたたむこと、あなたが残念がってくれてるのは知ってるわ」

パオラの声で、私は現実に立ち返った。水曜日の午後の、店の中に。

「でもね、それはそれでいいのよ。時間は流れていくの。私たちがやめても、アンティーク・ジュエリーには何の影響もない。そうでしょう？」

私は、ええ《Sì》、とこたえて、うなずいた。

五月。

陽光がこの街にもつかのまの挨拶をし、気の早い人々がサングラスやTシャツを身につける月。カエルの庭の緑は冴《さ》え、フェデリカの住むアパートの庭には藤がたっぷりと花房をたらしている。

――ほんとうにそれでいいの？

ダニエラは、会うたびにほとんど叱《しか》るような口調で私を問いつめる。

――マーヴをこのまま帰してしまってほんとうにいいの？

と。

マーヴとは、来週会う約束をしている。そして、二十五日――私の誕生日――には、ノヴェチェントで四人――マーヴと私とダニエラとルカ――で、食事をすることになっている。マーヴの帰国と私の誕生日を祝して。昔のように。

五月。

なにもかもが彩りにみち、じきにやってくる夏の気配に、人々が陽気さをとり戻す月。

五月十四日、日曜日。マーヴとは、カフェ・スタンダールで待ち合わせた。なつかしい、アメリカンブランチの店。

開放的な店内の空気、気さくな店の人たち。私は先についたが、本を読まずに待っていた。店に入ってくるマーヴをみたかった。コーヒーやハンバーガーやフレンチトーストの匂《にお》い、あちこちからきこえてくる英語。

マーヴはジーンズをはいていた。濃い茶色の髪、おおらかな笑顔。

「おはよう」

もうお昼近かったが、マーヴはそう言った。

「おはよう」

私もこたえた。お休みの日、私が寝坊することをマーヴは知っているし、早起きのマーヴが今朝もスポーツジムにいったにちがいないことを私は知っている。

「あと二週間ね」

正面にすわったマーヴの、右耳の上の髪がすこし乱れていた。

「そう《YEAH.》。二週間《TWO WEEKS》だ」

マーヴはくり返した。前半は私への返事だったが、後半はなんだかひとりごとのようにきこえた。

「淋しくなるわ」

私は、言葉が感傷を帯びないように気をつけて言った。マーヴはナプキンを膝《ひざ》にひろげながら――大判のナプキンも、マーヴの手の中ではハンカチ程度にしかみえない――微笑《ほほえ》んだが、何も言わなかった。

私たちはそこでたっぷりのブランチを食べ、コーヒーをのんだ。

「日本ではね」

私は言った。

「春は出発の季節なのよ。出会いと別れの、そうして出発の」

ちょうど私たちの感じでいう九月みたいに、とつけたすと、マーヴは意味をのみこんで、

「春が？　おもしろいね」

と、言った。イタリアでもアメリカでも、入学や新学期は九月だ。長い休暇のあと、涼しくなり始めた空気の中で、みんなそれぞれの生活を始める。

「それはとても東洋的だね」

マーヴは考え深い表情で言った。

「植物のサイクルと一緒だ」

「そうなの。おもしろいでしょう?」

この店にいると、いつも、マーヴはたくさんの顔見知りに声をかけられる。どこにこんなに潜んでいるのだろう、と思うくらいたくさんのアメリカ人たち。

「このあとは?」

マーヴが訊《き》き、私は、なにも、とこたえて、私たちは店をでた。

「あたたかい日だね」

日ざしに目を細めてマーヴが言う。マーヴとならんで歩くのはひさしぶりだ。

私がマーヴの申し出を断ったことについて、マーヴはなにも言わなかった。

「元気でね」

私が言うと、マーヴは打てば響くはやさで、

「大丈夫《SURE》」

とこたえた。お互いに、それが相手の言える精一杯だと知っていた。

「じゃあまた二十五日に」

そう言いあって別れた。路上に停めた、私のフィアットのわきで。

夕方、お風呂《ふろ》の中で本を読みながら、突然自分を孤独だと思った。自業自得の孤独だ。マーヴも失ってしまった。かつて順正《じゅんせい》を失ったように。二人とも、たしかに目の前にいたのに。

昔からそうだ。私は手をのばすことができない。誰かに手をさしのべられても、その手をつかむことができない。

遠い日、ミラノに馴染《なじ》もうとしない母に腹を立て、背中をむけた子供のままだ。なにも私に届かない。ダニエラのやさしさもアルベルトの友情も。

順正に会いたい。

すすり泣くようなはげしさで、そう思った。順正と話したい。こんなふうに生きてきたことを、順正は理解してくれる。説明しなくても。単純に。それは確信があった。かつてそうだったからではなく。

本をとじ、ためいきをついた。窓から夕方の空気が流れこんでくる。

——本の虫。

順正はそう言って笑うだろうか。

ジーナが風邪をひいた。高齢なのでみんな心配したが、熱も下がり、無事全快した。私は一度お見舞にいき、一度花を贈った。花は、「部屋の中の静寂を深め」たりしないよう注意して、黄色いフリージアを選んだ。カエルの庭の近くの、気に入りの花屋で。

――美しいお花をありがとう。

今朝、電話口でジーナは言った。

――もうすっかりいいのよ。だいたいみんなが大げさなの。

そう言ってためいきをついた。ジーナらしい、不満気な口調だった。

――よかった。

私はほっとして微笑み、心から言った。

シャワーを浴びているときは、そんなつもりではなかった。来週ジーナに会いにいこう、と考えたりしていた。コーヒーをのみ、仕度をしているあいだも、そんなつもりではなかった。よく晴れたおもてにでて、モスグリーンの愛車フィアットに乗り、いつものように店につくまでは。

「おはよう」

工房では、アルベルトが作業を始めていた。白い壁、大きな作業台、ラジオから流れてくる歌謡曲。

ここで何をしているのだろう。

そう思った。ここは、きょう、私のいるべき場所ではない。まわりの何もかもが、それを示していた。大きくあけ放たれた窓や、そこから見下ろせるミラノの街、台にちらばった工具の一つ一つや、赤い小さなチェッラのかけら。きょう、二〇〇〇年の五月二十五日に、ここは私のいる場所ではない。

——約束をしてくれる？

そう言ったのは私だった。

——フィレンツェのドゥオモに、あなたとのぼりたいの。

一緒にいくのだと思っていた。そのときどこに住んでいるにせよ、私たちは一緒にいて、そこから一緒にでかけるのだと。ピクニックみたいに。

——フィレンツェのドゥオモ？　ミラノのではなくて？

不思議そうに訊いた順正に、私は胸をはってこたえたのだった。

——フィレンツェのドゥオモは、愛しあう者たちのドゥオモなの。

こんなに遠い約束を、順正が憶《おぼ》えているとは思えない。

「アルベルト」

それでも、私は憶えていた。ずっと。

何、と、うたうような軽やかさでふりむいたアルベルトに、

「午後、お休みをとりたいの」

と告げた。相談や頼みごとではなく、単純に事実を告げる言い方になった。

「パオラには連絡しておくから、もし誰もつかまらなかったら、午後お店にでてもらえないかしら」

アルベルトは意外そうな顔をした。週に三日のパートタイムだったころも含めて、私は仕事を休んだことがない。他の人の病欠で、オフの日にでることはめずらしくなかったけれど。

「かまわないけど」

ありがとう、とこたえて一階に降り、すぐに三本電話をかけた。パオラと、以前一緒に働いていた――いまは私がオフの水曜日にだけ働いている――女の子と、それからダニエラに。

「フィレンツェ!?」

ダニエラは頓狂《とんきょう》な声をだした。

「きょう？　これから？」

わけがわからない、というダニエラに、でも説明はしなかった。

「先約があったの。うっかり忘れていて。ルカにもあやまっておいて。帰ったら連絡するわ」

それだけ言って電話を切った。誰かに失礼だとか、悪いことをするとか、そんなことは考えられなかった。どうでもよかった。自分の中の何か――途方もなく強く、がむしゃらな何か――につき動かされるように、てきぱきと用事を片づけた。てきぱきと、一つずつ、順正にむかって。

マーヴには手紙を書いた。手紙といってもひどくそっけない、メモのようなものだ。たのしかったわ。幸運を祈ります。キスを。アオイ。結局、それ以外の言葉はみつけられなかった。私はメモをポケットに入れ、昼休みを待って外にでた。喧噪《けんそう》と埃《ほこり》と陽光の、ミラノの街に。

中央駅の重厚な佇《たたずま》いも、プラットフォームをおおうアーチ形の天井も、目に入らなかった。

店をでて、かつて私の住処《すみか》でもあったマーヴのアパートの郵便受けに手紙を入れ、あとはローマ行きの列車に乗ることしか考えなかった。

切符を買い、掲示板でホームを確認し、売店でミネラルウォーターを買った。あわただしい人の流れも、くぐもった車掌のアナウンスも、ひどく遠いものに思えた。

四人掛けのコンパートメントの、窓際の席に腰をおろして、構内を行き交う人々を、窓から眺めた。大きな鞄《かばん》を持った人、子供を連れた人、ビジネスマン、サリーをつけた二人連れのインド人女性。十二時五十二分。列車がでるまで八分ある。

自分の中に、これだけの意志があったことにおどろいてしまう。何の迷いもなかった。あのときにはすでに決まっていた。アルベルトの工房で、朝の光の中で、私はただ認めればよかった。フィレンツェにいくことを。ドゥオモにのぼることを。順正との約束を、片時も忘れたことがなかったことを。

発車ベルが鳴り、扉が閉まった。ひどく高揚していたが、同時にとても冷静だった。自分のしていることを理解していた。かつてないくらいくっきりと理解していた。感情が、解き放たれたのがわかった。

三時間後、列車はフィレンツェに到着した。やや弱まった日ざしは、そのために一層、夏のはじめのまぶしさを放ち、あたりをやわらかく包んでいた。

駅前広場に降り立ち、子供のころ、両親に連れられて来て以来の街の空気を吸い込んだ。フィレンツェ。街自体が博物館であるとさえいえる、小さくて美しい、けれどそれ故に観光業に頼らざるを得ない運命を背負ってしまった街。

ミラノからたった三時間とは思えない、まるで空気の違う街だ。

——来ちゃったわ。

胸の内で、順正につぶやいた。かつて愛した学生の順正にではなく、東京に——おそらく梅ヶ丘に。東京は深夜だ。順正は眠っているだろうか――いるのであろういまこの瞬間の順正に。

――来ちゃったわ。

あきれてるでしょうね、と、つけたして自分で苦笑した。奇妙な具合いに清々《すがすが》しく、気持ちが浮き立っている。

いつのまにか覚悟ができていた。そんなふうに思った。きょうここに来ることを、いつ決めたのかと訊《き》かれれば、十年前にとこたえるほかにない。

ドゥオモは街の中心にあった。

街の狭さに比して大きすぎる、その圧倒的な量感と、時の流れの如実に刻まれた色大理石の壁。くすんだ、やわらかなピンクとみどりという色合いにもかかわらず、寡黙《かもく》で男性的に思える。大きいのに、しずかだ。

――フィレンツェのドゥオモは愛しあう者たちのドゥオモよ。

そう言ったフェデリカにとって、愛はこんなに大きくてしずかな、ゆるぎのないものだったのだろうか。

ここから見上げても丸屋根はみえない。広場全体が日陰になっているのにもかまわず、アイスクリームを食べながら歩いている観光客たちを尻目《しりめ》に、夕方の空を鳩が羽音たかく横切っていく。

正面左側の受付を通ると、うす暗く、傾斜の急な階段が始まる。空気がひやりと湿っていた。ふるい場所が、きまってなつかしい匂《にお》いなのはどうしてだろう。私にとってなつかしい場所であるわけでもないのに。階段は、左右の壁が迫り、閉塞《へいそく》感があるぶんだけ、ところどころに作られた窓からの光と外気が、目や肺に、つきささるようにとびこんでくる。螺旋《らせん》状にひたすらのぼりつめるうち、息がきれ、足が重くなった。ときどきすれちがう降りてくる人たちは、微笑《ほほえ》んだり首をすくめたりして通りすぎていく。

——二〇〇〇年の五月か。もう二十一世紀だね。

そう言った順正の、野原のような笑顔をいまも憶えている。

途中、何度か平らな場所にでた。アメリカ人らしい、中年のカップルとすれちがった。私はすでに汗ばみ、前へ前へと進むしかないその石の通路を、なにか自分の通りぬけてきた時間のように感じていた。

目の前に、アーチ形の直線の階段が現れた。頂上だ、とわかった途端、すこしだけひるんだ。

——ほんとうに、来てしまった。

階段の先に、小さな青空がみえる。

——空だけを描く画家になりたい。

順正は昔、そんなことを言った。ロマンティストだった。熱心にデッサンをした。真面《まじ》目《め》なひとだった。

頂上が近づくにつれ、新鮮な外気の匂いがした。一段ずつ、空に近づく。空に、そして過去に。未来は、この過去の先にしかみつけられない。

小さく息をすい、私は頂上にでた。光のなかに。平和な、しずかなフィレンツェの街の夕方が、眼下一面に見下ろせた。はてしなくつづく、赤茶色の屋根たち。ぎっしりと、ほとんどすきまもなく。

「いい風」

私は風に顔をつきだすようにしてそれを味わった。フィレンツェの、ドゥオモの頂上を吹いていく風。

みんな、街を眺めている。ぺたりと足を投げだしてすわって。柱にもたれて。あるいは本を枕《まくら》に寝そべって。

大理石の柱には、いくつも落書きがしてあった。日付、自分の名前、そして、愛する人の名前。私は、自分がそれをみて微笑んだことに気づいた。愛する人の名前。

壁にそってゆっくり歩く。赤茶色の屋根屋根の向う、はるか遠くにはゆるやかな丘陵がみえる。

教会の尖塔《せんとう》、洗濯物の干してある窓。

のぼってきた階段の丁度裏側、街の反対側が見渡せる場所に来たとき、私の目は、ある一点にすいよせられた。

その人は、片膝《かたひざ》を立ててすわっていた。

すこしだけ角度のついた、でもほぼ真後ろといっていい位置から、私にはそれが順正だとわかった。びくりとして、とっさに、まさか、と思ったが、そのときにはもう確信していた。あれは順正の背中だ。間違えるはずがない。順正の背中だ。

動けなかった。

しばらくそこに立ったまま、私は順正をみていた。小柄な、姿勢のいい、十年の歳月を経てもまるで変わっていないようにみえる、なつかしい順正を。

迷ったのは声をかけるべきかどうかではなく、信じてもいいのかどうかだった。いま目の前にいる順正があの順正だと、約束通り私の誕生日にここに来てくれたのだと、信じてもいいのかどうかだった。

信じてもいいのかどうか、でも決心するより前に、私は歩きだしていた。

「順正」

会いたくて会いたくてたまらなかった、と、告白しているような苦しい声で、そのひとの名前を口にした。

ふりむいた順正の、記憶よりも削《そ》げた頬《ほお》。息がとまるかと思った。フィレンツェの街を見下ろすドゥオモのてっぺんで。やわらかな、夕方の光のなかで。

第13章　日ざし

il raggio del sole

思考は完全に止まっていた。ぼんやりして、人形のようにうつろだった。フィレンツェ発ミラノ行きの列車の、四人掛けコンパートメントのすりきれた座席にぐたりと身体をあずけながら。

嵐のような三日間だった。嵐のような、そして、光の洪水のような。

——あおい。

立ち上がった順正は、夕日に横顔を照らされていた。学生時代よりも精悍《せいかん》な顔をしていた。

——来ちゃった。

私は言い、でも言葉には何の意味もなかった。私は順正から目が離せなかった。

私たちはみつめあっていた。Tシャツではやや肌寒い、初夏のドゥオモの夕暮れの中で。

——待っていたよ。

いつもそうだ。順正の言葉は私を安心させる。心から。

――うん。

うなずくのが精一杯だった。信じられなかった。目の前に順正のいることが、そして、自分がそこにいることが。

――三十歳の誕生日、おめでとう。

順正がわずかに微笑《ほほえ》んで言った。微笑み。忘れていた。このひとの微笑みは、こんなにも自然でやさしいのだった。

――来るとは思っていなかったよ。

順正の声は、むしろどこか困っているように響いた。

――もうあんな約束忘れてしまっていると思っていた。

と言ったときも、

――幸せに生きていると聞いていたから、絶対に来ないと思っていた。

と言ったときも。

幸せに？　よくわからなかった。もう忘れてしまっていた。マーヴも、ミラノも、物語のなかのことのように遠い。

――でも、来てくれた。

順正が言った。順正が言葉を重ねれば重ねるほど、私はどうしていいかわからなくなった。順正を困らせたくはなかったが、でも、どうしていいかわからなかった。

私たちはつっ立っていた。ティーンエイジャーのように途方に暮れて。ふるえるような歓喜と、絶望的な不安とのはざまで。ローザ《薔薇色》とアズーロ《空色》の、まざりあう空の下で。

十年。それはちっぽけな一《ひと》かたまりに思えた。つまみ上げてどければ、なかったものになりそうに思えた。十年。でもそれは同時に、めまいをおこしそうに長い年月にも思えた。

――ずっと、ずっと、この日を待っていたんだ。

私は、黙って、と、言いたかった。もう黙って、と。

すいよせられるように数歩近づき、順正の首に両腕をまわした。そっと。壊してしまうのではないかと恐れながら。あるいは、自分がいまこの瞬間に、壊れてしまうのではないかと恐れながら。

順正の両手が私を抱きとめたのを感じた。首のうしろで、順正の肌の温度を感じた。順正の両腕に力が込められたのが先か、私が強くしがみついたのが先か、思いだすことはできない。

ずっと、こうしたかった。

そう思った。

いまこうしていることよりも、こんなにも長いあいだこうせずにいられたことの方が信じられなかった。

――順正……

溢《あふ》れてとまらない気持ちは、その言葉にしかならなかった。

列車はまっすぐにひた走っている。窓の外は単調な田園風景で、ところどころに褪《あ》せたピンク色やこっくりした山吹色の、粗末な家が建っているだけだ。

ななめ向いの席のビジネスマンは、長すぎる脚を窮屈そうに折り、膝にアタッシェケースをのせて新聞を読んでいる。

私は、自分が列車に乗っているというよりも、列車が、私をまわりの空気ごと取り囲み、荷物のように移動させているように感じる。機械的に。

順正と私は、ドゥオモの狭い階段を一緒に降りた。ひどく奇妙な気持ちがした。ついさっき、そこを一人でのぼったとき、こんなふうに順正と二人で降りる場面など、想像もしなかった。

私たちはフィレンツェの町を歩いた。やわらかな風が流れた。

順正はフィレンツェの町にくわしかった。

——住んでたんだ。

そんなことを言って、私をおどろかせた。順正がフィレンツェに住んでいた。フィレンツェに。ミラノから目と鼻の先の、歴史におきざりにされたようなこの小さな町に。

それは後悔に似たせつなさで私の胸をしめつけた。十年。なにもかも、信じられない思いだった。

橋の上に立ってアルノ川を眺めた。川は、しずかに平和にたゆたっていた。玩具《おもちゃ》のような土産物屋のならぶ夕暮れ。

――ごめん。なにも考えてなかった。

順正は、すまなさそうに言った。

――約束の日に約束の場所に来ておいて変だけど、あおいに会えるとは思えなかったから、会ったらどこにいくとか、どうするとか、なにも考えてなかった。

ほんとうに困ったように言う。

川ぞいの並木道に、街灯のあかりがつき始めていた。まだ傾いた日が残っているので、そのあかりはでも全然目立たない。目立たないのに、一つずつちゃんと灯《とも》っている。

――知ってるわ。

私は言った。

――まったくおんなじだもの。あなたに会えるなんて思えなかった。なにも考えてなかったし、なにも考えられない。

私たちはさらにすこし歩き、それから小さなレストランで食事をした。

順正は、高価ではないがしっかりした、味のよい赤ワインを選んだ。きれいな動作でそれを口に運ぶ。

——お酒、強くなったのね。

順正は、思ってもみないことを言われたというように小さくわらい、

——まあ、それなりにね。

と、こたえた。私は、私の知らない順正の十年間を思った。

料理はおいしかったが、私たちはどちらもあまり食べなかった。食べるどころではなかった。

——みつめてばかりでごめん。

順正がそう言ったとき、私は自分が叱《しか》られたのかと思った。不躾《ぶしつけ》だと思っても、どうしても順正から目を離せないのは私の方だったから。実際、私たちはたがの外れてしまった恋人たちのようにみつめあっていた。愛情というより、ある種の非現実感のなかで。

非現実感。

あれはまさにそれだった。光に満ち、信じられないほど幸福で、でもそれが幻の放つ光の神々しさだということを、私たちはどちらもどこかで知っていて、知っていながら頑として受け容《い》れまいとしていた。幻の放つ光。それは日没に似た神々しさで、私たちの身体のすみずみまでみたす。

阿形順正。

私は目の前にいる男性を、完璧《かんぺき》な信頼を持って眺めた。その豊かでやわらかな黒い髪や、おどろきや喜びの一つ一つに敏感に反応する瞳《ひとみ》、ときどき照れくさそうな微笑みを浮かべる色のうすい唇、育ちのよさをうかがわせる首すじ。その一つ一つをかつて私は愛したし、いまもまた依然として、こんなに愛している。

洋梨とパルミジャーノのデザートをおえ、私たちは外にでて、しっとりと気持ちのいい夜気のなかを、また歩いた。たとえば泊る場所を決めていないということや、ミラノに帰るつもりなら駅にいかなくてはいけないということを、考えることはできなかった。

――この空気。

私は言った。

――順正のいる空気、ひさしぶり。

フィレンツェはしずかな町だ。夜もこの時間はまだ、観光客たち――私たちのような――がぞろぞろ歩いているのだが、それがなおさら町自体のしずけさを際立たせている。新しい建物のない町。

順正の泊っているホテルの一階の、くたびれたバールにいった。カウンターで、私はアマレットではなく、アペロールを頼んだ。高校生のころ、友だちとバールにいくといつもそれを飲んだ。オレンジ色の、アルコールのあまり強くないお酒。

バールで、私たちはひとしきり思い出話をした。日本のこと、大学のこと、あのころ順正の乗っていた、イギリス製のスクーターのこと。崇《たかし》のこと、私のアパートの、隣に住んでいたルイ・ヴィトン好きの女の子のこと。学食のメニューのこと、梅ヶ丘の町のこと、羽根木公園。

記憶はどんどん湧《わ》き上がり、言葉はきりもなくこぼれた。吐きだされるのを待っていたかのように。いっそむなしくなってしまうほどに。

話しながら、私は自分でも憶《おぼ》えているとは思わなかったことまで憶えていておどろいた。あのころエアコンのなかった順正の部屋の夏の暑さや、順正の使っていた真鍮《しんちゅう》製のワインのコルク抜きのてっぺんに、小さな帆船がついていたこと、順正のおじいさんの描いた抽象画の、青とも緑ともつかない底知れぬ色と黄色とのコントラスト、厚く盛り上がった油彩絵具。

言葉は記号のようだった。記号だからこそ、あんなに気安く口から滑りでたのだ。大切なことは何一つ言いだせないままに。

順正はすっかりくつろいでいるようにみえた。私もそうみえていることがわかっていた。そして、どちらもちっともくつろいでなどいないことも。

——もう一杯のむ？

順正が訊《き》き、私は首を横にふった。

――じゃあ、部屋にいく?

順正の言葉は、単純に質問のように響いた。順正の声の誠実さとやさしさは、断っても構わないのだと告げていた。それは、いかにも順正らしい残酷さだった。

――ええ。

私は言い、にっこりと微笑《ほほえ》んでみせた。どちらでもいいんだけれど、そうねそれじゃあそうしましょうか。まるで、そう思ってでもいるように。

昔、私たちがどちらも学生で、兄妹のように仲のいい恋人同士だったころ、私は順正の部屋に泊れる日が嬉《うれ》しかった。セックスではなく、ただぴったりくっついて眠れることが嬉しかった。そうやって眠っているとき、私たちはたぶん同じ速度で、同じリズムで寝息をたてている、と、思えた。未知の母国日本で、同じ細胞に出会った、と。

別れることなどできないと思っていた。別れることも、こんなふうに思い出話をすることも、できるはずがないと思っていた。

もうひと月以上滞在しているという順正の部屋は、小さいけれど居心地のよさそうな、窓から町と川とを見下ろせる、はちみつ色の壁紙の部屋だった。

――不思議ね。日本でのことはもう思いださなくなっていたのに。

私はベッドの端に腰掛けて、思い出話の続きをしようと努力した。

――あおい。

何の前置きもなかった。順正は私の前に立ちはだかり、私の身体を倒しながら唇をふさいだ。目をつぶっても絶対にそれとわかる、順正の皮膚、順正の気配。

——あおい。

きれぎれに耳元でささやかれる私の名前。私がそうしようと思う前に、私の腕が順正を抱きよせ、私がそうしようと思う前に、私の指が順正の背中を這《は》っていた。ずっと、こうしたかった。これに、焦がれていた。これが欲しかった。もうどうしようもなかった。言葉も、記憶も届かない場所にいた。二人だけの場所に。ミラノも、マーヴも、私の知らない順正の十年間も追ってこられない場所に。

——会いたかった。

そして、ようやく私はそれを言うことができた。会いたかった、と、心から。

列車が中央駅のホームにすべりこんだとき、向いの席のビジネスマンは、アタッシェケースの上で絵葉書きを書いていた。ボールペンを背広の胸ポケットに、葉書きをアタッシェケースのなかにしまってあわただしく立ち上がる。

夕方だ。うす曇りの、鈍色《にびいろ》の。

順正が悪いわけではない。

それはわかっていた。でも、理屈に合わないが、まるで捨てられたような気分になるのを、どうすることもできない。

順正はひきとめなかったし、私もまた、ひきとめてほしいとは言えなかった。

順正に捨てられるのは、これで二度目だ。そんなことを思って、弱く苦笑する。

――元気なの？

今朝、電話口でパオラは心配そうな声をだした。

――店は大丈夫よ、アルベルトもいるし。そんなことを言ってるんじゃないの。どこにいるの？　ダニエラが心配してたわよ。急にいなくなるなんてあなたらしくない。

歯切れのよいイタリア語に、つい微笑んだ。

――御迷惑おかけしてごめんなさい。私は元気です、大丈夫。夕方には帰ります。あしたからお店にでますから。

ダニエラのいるミラノ、パオラやジーナのいるミラノ。あしたから私は私の生活を、一からつくり直すことになる。仕事をし、最後までやさしかったマーヴを見送って、一から。

人は、その人の人生のある場所に帰るのではない。その人のいる場所に、人生があるのだ。

私は売店でコカコーラを買って、立ったまままそれをのんだ。


――やっとここに帰ってきてくれたね。

私の髪をなでながら順正が言ったとき、順正の肩に頭をあずけて、私もおなじことを思っていた。やっとここに帰ることができた、と。順正の身体はあたたかく、強靭《きょうじん》で、私の身体をちょうどぴったり包む大きさをしていた。

私たちは兄妹のようにくっついて眠った。幸福で不幸な、無茶で野蛮な兄妹のように。

目がさめたとき、部屋のなかはすでに朝日で一杯になっていた。

——来てごらん。

下着をつけただけの恰好《かっこう》で、窓辺に立った順正が呼んだ。

——ほら。

アルノ川だった。水面いちめんに朝日がかがやいている。

——二〇〇〇年、五月二十六日ね。

私は言った。きのうを境に、新しい人生が始まったのだったらどんなにいいだろう、と、思いながら。

順正は背中から私を抱き、私たちはしばらくそうやって、川を眺めた。昔、おなじ姿勢で、梅ヶ丘のアパートの窓から羽根木公園を眺めたように。

——きょうはどこにいく?

私が陽気な声をだして訊くと、順正もあかるい声で、

——どこでも。

と、こたえた。

——まず、朝食。

——了解。まず、朝食。

私たちはツーリストだった。陽気な、そして、つかのまの。

美術館にいった。シニョーリア広場を歩き、オルサンミケーレ教会をのぞいた。橋を渡り、楽園追放の壁画のある教会まで足をのばした。あたたかい日だった。絵をみている順正をみると胸がきしんだ。遠い日、絵画に対するこのひとの情熱やひたむきさに、私は半ば愛を半ば嫉妬《しっと》を、そしてたぶん淋《さび》しさをおぼえた。

——素晴らしいよね、これ。

順正がそう言ったのは、パラティナ画廊に展示されたラファエロの前でだった。

——憂いのある、でも限りなくやさしい表情をしていて。

私には絵はよくわからない。ただ、何度もみているに違いないその絵を、まるではじめてみるような興奮と熱っぽさで語る順正を、その声や口調の一つ一つを、胸に刻みつけたいと思った。

その夜も私たちは寄り添って眠った。乱暴なほど求めあったあとで。はちみつ色の壁の部屋で。

——愛してるわ。

おやすみなさい、と言うかわりに、私は言った。

——愛してるよ。

余分なものの何もない言葉の重さで、順正も言った。そのとおりだった。ずっと、わかっていた。

あとどのくらいの時間、こうしていられるのだろう。

そう思うことが、次第に耐えられないものになってきていた。おそらく順正にとってもそうだったと思う。私たちはそれを知っていたし、暗黙のうちにそれを先送りにしてもいた。

でもあと一日。

私は眠りに落ちる寸前に思った。

お願いだからあともう一日。


三日目も晴天だった。

ルームサービスでコーヒーを頼んだ。かなしみは極限に達していた。

——きょうはどこにいく?

私の言葉は、でももう陽気には響かなかった。

——あおい。

苦痛に歪《ゆが》んだ声で、でも私の顔から目をそらさずに、順正が言った。私はききたくなかった。だからそう言った。ききたくない、と。

——あおい。

順正はもう一度言った。

——おいで。

やさしい声だった。残酷なほどやさしい声。私は名前を呼ばれた子供のように、ベッドに腰掛けた順正の腕の中に入った。コーヒーカップを持ったまま。

——きみの話をして。

私の頭に唇をつけ、髪をなでてくれながら順正は言った。

——あおいの、いまの生活の話をして。

私は小さく息をすい、息を吐いた。身体をねじって順正の顔をみた。かなしそうな顔を。それから前に向きなおって話した。ジーナとパオラのジュエリー屋で働いていること、そこでマーヴと出会ったこと、一緒に暮らし始めたこと、ダニエラが結婚して女の子を産んだこと、フェデリカが元気で、ときどきお茶や食事に招待してくれること。

マーヴと別れたことは言えなかった。なぜだか。

——幸せなんだね。

私は前を向いたまま小さくうなずいた。ほとんどまばたきほど小さく。

順正は私の髪にまた唇をつけた。この上なくやさしく。それからゆっくり話し始めた。

絵画の修復士をめざしてフィレンツェに来たこと、先生に出会ったこと、先生の絵のモデルになったこと。順正はまた、修復という仕事についても淡々と話した。修復士が、「失われた時間を取り戻すことのできる、世界で唯一の職業」であることも。

そして、芽実《めみ》という女性のこと。「子猫みたい」に奔放でわがままで、一途で正直な女性のこと。

大切な絵が切りさかれる事件があったこと、日本に帰国したこと、芽実さんが追ってきたこと、おじいさんが入院されたこと。先生が亡くなり、フィレンツェに戻ってきていたこと。

話しおわると、順正はコーヒーを啜《すす》った。

――ふらふらしたやつだよね。

ドゥオモで会ったとき、頬《ほお》の削《そ》げた印象だったことを思いだした。精悍《せいかん》な、でも疲れた顔をしていたことも。

――順正。

私は身体ごと順正に向きなおり、片手で、順正の頬に触れた。

――うん？

でもわかっていた。私には何もできないのだと。私には手出しできない場所に、このひとはもう人生を築き始めている。

——順正。

順正。順正。順正。私は何度も口にしながら、順正の両手をひっぱって立たせた。

——もう一回しよう。愛してるわ。すごくよ。どんなに会いたかったか、もしかしてあなたにもわかってもらえないかもしれないくらい。

——おいおい。

順正はわけがわからないというように笑ったが、

——いいよ、しよう、勿論《もちろん》、いいさ。

と、こたえた。私たちはベッドに倒れこんだ。部屋じゅうに溢《あふ》れかえっている白い光のなかで。かなしみにみちた唇を重ね、ようやく物語を一つ終えようとしている身体を重ねた。愛をこめて。絶望の中で。過去と未来のつながった場所で。

——大胆になったね。

甘い汗をたくさんかいたあと、シーツのあいだで順正が言った。

——昔は、日ざしの中では拒まれた。

私をからかうように言う。

——まあ、それなりにね。

私はうそぶくと立ち上がった。

――おいしいお昼を食べよう。午後の列車で帰るから。

順正は表情を変えなかった。私の顔をじっとみている。ひきとめてくれない順正の正しさと誠実さを、考えてみれば私は愛したのだった。

順正は、ふいに表情をほどいて微笑《ほほえ》むと、

――わかった。

と言った。

――大丈夫だよ、とめたりしないから。

私の顔が歪んだことに、順正が気づかなければいいと思った。

――あおい。

会えてよかったよ、と、順正は言った。愛してる、と言うのとそっくりの響きで。

――私もよ。

シャワーをあび、私たちは昼食にでかけた。晴れた真昼の、フィレンツェの町に。

あとがき

晴れた日の下北沢で、この、いっぷう変わった小説計画は生まれました。そして、どんよりと曇った冬のミラノで、この小説は血や肉を得ました。

どんな恋も、一人の持ち分は½であるということを、どんな恋をするよりも切実に感じつつ、二年とすこしのあいだ、仕事ができました。

これはあおいの物語です。あおいとあおいの人生の。そして、恋に関する限り、すべての半分の物語です。あとの半分、あおいの知らない順正《じゅんせい》と、あおいの知らないあおい自身とが、別な小説にとじこめられています。

ラッテリア、というのは直訳すると牛乳飲み所、になるそうですが、駄菓子屋風カフェというおもむきの、下校途中の小学生が、迎えにきたお母さんとお茶を飲んでいたりする、ちょっとぼろっちい感じのなつかしい店です。小説には出てきませんが、曇った寒い日の午後、一軒のラッテリアでコーヒーを飲みながら、ああ、あおいはこういう場所で育ったんだ、と、思いました。

人生というのは、その人のいる場所にできるものだ、という単純な事実と、心というのは、その人のいたいと思う場所につねにいるのだ、というもう一つの単純な事実が、こういう小説になりました。

私の本のあとがきとしては、異例のことですが、謝辞を。

ミラノでのあらゆる手配を完璧《かんぺき》にこなして下さったことなど、彼らのしてくれたことのなかではとるにたらないことだった、と思わざるをえないほど、素晴らしい濃《こま》やかさで小説のディテイルを支え、私をたびたび救って下さった中尾御夫妻、雑誌連載中、毎月愛らしいイラストを描いて下さったペッポさん、あおいにとってどこよりも親しい場所であるミラノの、「仲間たちの夜」に感謝します。

学校創立当時のことなど、たのしくたくさん話して下さったミラノ日本人学校の教頭先生、フレンツェで「バタとくるみをはさんだ干しイチジク」を伝授して下さった阿形さん、留学生生活について、話すことというより全身から発する気配で、そのすこしとがった孤独を垣間《かいま》みせてくれた若者たちにもお礼を申し上げます。

そもそものはじめから、頼もしくそばにいてくれた角川書店（および元角川書店）の編集の方たちには特別の感謝を。

最後に、作家として私にない資質ばかり備えているナイーヴなパートナー、辻仁成さんにはその本質的な才能に敬愛の念を。

合わせ鏡のようなこの二冊の本が、読者の「冷静と情熱のあいだ」に届きますように。

一九九九年　初秋

江國香織

本書は、平成11年9月に、小社より刊行
された単行本を文庫化したものです。

協力●日本航空

Special thanks
●
中尾伸次
中尾和美
阿形佳代
FABRIZIO RIVA
中原恭子
大久保靖子
創形美術学校修復研究所

冷《れい》静《せい》と情《じよう》熱《ねつ》のあいだ

Rosso《ロッソ》

江《え》國《くに》香《か》織《おり》

平成13年 9月25日 初版発行
令和7年 10月25日 70版発行

発行者●山下直久

発行●株式会社KADOKAWA
〒102-8177 東京都千代田区富士見2-13-3
電話 0570-002-301(ナビダイヤル)

角川文庫 12126

印刷所●株式会社KADOKAWA
製本所●株式会社KADOKAWA

表紙画●和田三造

ISBN978-4-04-348003-6 C0193

角川文庫発刊に際して

角　川　源　義

第二次世界大戦の敗北は、軍事力の敗北であった以上に、私たちの若い文化力の敗退であった。私たちの文化が戦争に対して如何に無力であり、単なるあだ花に過ぎなかったかを、私たちは身を以て体験し痛感した。西洋近代文化の摂取にとって、明治以後八十年の歳月は決して短かすぎたとは言えない。にもかかわらず、近代文化の伝統を確立し、自由な批判と柔軟な良識に富む文化層として自らを形成することに私たちは失敗して来た。そしてこれは、各層への文化の普及滲透を任務とする出版人の責任でもあった。

一九四五年以来、私たちは再び振出しに戻り、第一歩から踏み出すことを余儀なくされた。これは大きな不幸ではあるが、反面、これまでの混沌・未熟・歪曲の中にあった我が国の文化に秩序と確たる基礎を齎らすためには絶好の機会でもある。角川書店は、このような祖国の文化的危機にあたり、微力をも顧みず再建の礎石たるべき抱負と決意とをもって出発したが、ここに創立以来の念願を果すべく角川文庫を発刊する。これまで刊行されたあらゆる全集叢書文庫類の長所と短所とを検討し、古今東西の不朽の典籍を、良心的編集のもとに、廉価に、そして書架にふさわしい美本として、多くのひとびとに提供しようとする。しかし私たちは徒らに百科全書的な知識のジレッタントを作ることを目的とせず、あくまで祖国の文化に秩序と再建への道を示し、この文庫を角川書店の栄ある事業として、今後永久に継続発展せしめ、学芸と教養との殿堂として大成せんことを期したい。多くの読書子の愛情ある忠言と支持とによって、この希望と抱負とを完遂せしめられんことを願う。

一九四九年五月三日

角川文庫ベストセラー

落下する夕方　江國香織

別れた恋人の新しい恋人が、突然乗り込んできて、同居をはじめた。梨果にとって、いとおしいのは健悟なのに、彼は新しい恋人に会いにやってくる。新世代のスピリッツと空気感溢れる、リリカル・ストーリー。

泣かない子供　江國香織

子供から少女へ、少女から女へ……時を飛び越えて浮かんでは留まる遠近の記憶、あやふやに揺れる季節の中でも変わらぬ周囲へのまなざし。こだわりの時間を柔らかに、せつなく描いたエッセイ集。

泣く大人　江國香織

夫、愛犬、男友達、旅、本にまつわる思い……刻一刻と姿を変える、さざなみのような日々の生活の積み重ねを、簡潔な洗練を重ねた文章で綴る。大人がほっとできるような、上質のエッセイ集。

はだかんぼうたち　江國香織

9歳年下の鯖崎と付き合う桃。母の和枝を急に亡くした、桃の親友の響子。桃がいながらも響子に接近する鯖崎……〝誰かを求める〟思いにあまりに素直な男女たち〝はだかんぼうたち〟のたどり着く地とは――。

冷静と情熱のあいだ Blu　辻　仁成

かつて恋人同士だった男女。恋人時代に交わしたたわいもない約束。本当に、その日、その場所に相手は来るのだろうか……男の視点を辻仁成、女の視点を江國香織が描く、究極の恋愛小説。

角川文庫ベストセラー

オリガミ　辻　仁成

角膜移植で光を取り戻したヴァレリーは術後、不思議な男性の幻を見るようになる。彼は誰？　ブリュッセルの女と東京の男が運命によって呼び合わされたとき……幸せの予感に満ちあふれた、極上の愛の物語。

あひる　今村夏子

わが家にあひるがやってきた。名前は「のりたま」。近所の子供たちの人気者になるが、体調を崩し、動物病院に運ばれていってしまう。2週間後、帰ってきたのりたまはなぜか以前よりも小さくなっていて――。

ドミノ　恩田　陸

一億の契約書を待つ生保会社のオフィス。下剤を盛られた子役の麻里花。推理力を競い合う大学生。別れを画策する青年実業家。昼下がりの東京駅、見知らぬ者同士がすれ違うその一瞬、運命のドミノが倒れてゆく！

ユージニア　恩田　陸

あの夏、白い百日紅の記憶。死の使いは、静かに街を滅ぼした。旧家で起きた、大量毒殺事件。未解決となったあの事件、真相はいったいどこにあったのだろうか。数々の証言で浮かび上がる、犯人の像は――。

チョコレートコスモス　恩田　陸

無名劇団に現れた一人の少女。天性の勘で役を演じる飛鳥の才能は周囲を圧倒する。いっぽう若き女優響子は、とある舞台への出演を切望していた。開催された奇妙なオーディション、二つの才能がぶつかりあう！

角川文庫ベストセラー

メガロマニア　恩田　陸

いない。誰もいない。ここにはもう誰もいない。みんなどこかへ行ってしまった――。眼前の古代遺跡に失われた物語を見る作家。メキシコ、ペルー、遺跡を辿りながら、物語を夢想する、小説家の遺跡紀行。

夢違　恩田　陸

「何かが教室に侵入してきた」。小学校で頻発する、集団白昼夢。夢が記録されデータ化される時代、「夢判断」を手がける浩章のもとに、夢の解析依頼が入る。子供たちの悪夢は現実化するのか？

雪月花黙示録　恩田　陸

私たちの住む悠久のミヤコを何者かが狙っている……！　謎×学園×ハイパーアクション。恩田陸の魅力全開、ゴシック・ジャパンで展開する『夢違』『夜のピクニック』以上の玉手箱!!

私の家では何も起こらない　恩田　陸

小さな丘の上に建つ二階建ての古い家。家に刻印された人々の記憶が奏でる不穏な物語の数々。キッチンで殺し合った姉妹、少女の傍らで自殺した殺人鬼の美少年……そして驚愕のラスト！

失われた地図　恩田　陸

これは失われたはずの光景、人々の情念が形を成す「裂け目」。かつて夫婦だった鮎観と遼平は、裂け目を封じることのできる能力を持つ一族だった。息子の誕生で、２人の運命の歯車は狂いはじめ……。

角川文庫ベストセラー

恋をしよう。夢をみよう。旅にでよう。　角田光代

「褒め男」にくらっときたことありますか？　褒め方に下心がなく、しかし自分は特別だと錯覚させる。ついに遭遇した褒め男の言葉に私は……ゆるゆると語り合っているうちに元気になれる、傑作エッセイ集。

薄闇シルエット　角田光代

「結婚してやる」と恋人に得意げに言われ、ハナは反発する。結婚を「幸せ」と信じにくいが、自分なりの何かも見つからず、もう37歳。そんな自分に苛立ち、戸惑うが……ひたむきに生きる女性の心情を描く。

幾千の夜、昨日の月　角田光代

初めて足を踏み入れた異国の日暮れ、終電後恋人にひと目逢おうと飛ばすタクシー、消灯後の母の病室……夜は私に思い出させる。自分が何も持っていなくて、ひとりぼっちであることを。追憶の名随筆。

今日も一日きみを見てた　角田光代

最初は戸惑いながら、愛猫トトの行動のいちいちに目をみはり、感動し、次第にトトのいない生活なんて考えられなくなっていく著者。愛猫家必読の極上エッセイ。猫短篇小説とフルカラーの写真も多数収録！

水やりはいつも深夜だけど　窪美澄

思い通りにならない毎日、言葉にできない本音。それでも、一緒に歩んでいく……だって、家族だから。もがきながらも前を向いて生きる姿を描いた、魂ゆさぶる6つの物語。対談「加藤シゲアキ×窪美澄」巻末収録。

角川文庫ベストセラー

さいはての彼女　原田マハ

脇目もふらず猛烈に働き続けてきた女性経営者が恋にも仕事にも疲れて旅に出た。だが、信頼していた秘書が手配したチケットは行き先違いで――？　女性と旅と再生をテーマにした、爽やかに泣ける短篇集。

翼をください（上）（下）　原田マハ

空を駆けることに魅了されたエイミー。日本の新聞社が社運をかけて世界一周に挑む「ニッポン号」。二つの人生が交差したとき、世界は――。数奇な真実に彩られた、感動のヒューマンストーリー。

アノニム　原田マハ

ジャクソン・ポロック幻の傑作が香港でオークションにかけられることになり、美里は仲間とある計画に挑む。一方アーティスト志望の高校生・張英才のもとには謎の窃盗団〈アノニム〉からコンタクトがあり!?

ロマンス小説の七日間　三浦しをん

海外ロマンス小説の翻訳を生業とするあかりは、現実にはさえない彼氏と半同棲中の27歳。そんな中ヒストリカル・ロマンス小説の翻訳を引き受ける。最初は内容と現実とのギャップにめまいものだったが……。

月魚　三浦しをん

『無窮堂』は古書業界では名の知れた老舗。その三代目に当たる真志喜と「せどり屋」と呼ばれるやくざ者の父を持つ太一は幼い頃から兄弟のように育つ。ある夏の午後に起きた事件が二人の関係を変えてしまう。

角川文庫ベストセラー

白いへび眠る島　三浦しをん

高校生の悟史が夏休みに帰省した拝島は、今も古い因習が残る。十三年ぶりの大祭でにぎわう島である噂が起こる。【あれ】が出たと……悟史は幼なじみの光市と噂の真相を探るが、やがて意外な展開に！

パイナップルの彼方　山本文緒

堅い会社勤めでひとり暮らし、居心地のいい生活を送っていた深文。凪いだ空気が、一人の新人女性の登場でゆっくりと波を立て始めた。深文の思いはハワイに暮らす月子のもとへと飛ぶが。心に染み通る長編小説。

ブルーもしくはブルー　山本文緒

派手で男性経験豊富な蒼子A、地味な蒼子B。互いにそっくりな二人はある日、入れ替わることを決意した。誰もが夢見る〈もうひとつの人生〉の苦悩と歓びを描いた切なくいとしいファンタジー。

きっと君は泣く　山本文緒

美しく生まれた女は怖いものなし、何でも思い通りのはずだった。しかし祖母はボケ、父は倒産、職場でも心の歯車が噛み合わなくなっていく。美人も泣きをみることに気づいた椿。本当に美しい心は何かを問う。

ブラック・ティー　山本文緒

結婚して子どももいるはずだった。皆と同じように生きてきたつもりだった、なのにどこで歯車が狂ったのか。賢くもなく善良でもない、心に問題を抱えた寂しがりたちが、懸命に生きるさまを綴った短篇集。

角川文庫ベストセラー

眠れるラプンツェル　山本文緒

主婦というよろいをまとい、ラプンツェルのように塔に閉じこめられた私。28歳・汐美の平凡な主婦生活。子供はなく、夫は不在。ある日、ゲームセンターで助けた隣の12歳の少年と突然、恋に落ちた——。

あなたには帰る家がある　山本文緒

平凡な主婦が恋に落ちたのは、些細なことがきっかけだった。平凡な男が恋したのは、幸福そうな主婦の姿だった。妻と夫、それぞれの恋、その中で家庭の事情が浮き彫りにされ——。結婚の意味を問う長編小説！

群青の夜の羽毛布　山本文緒

ひっそり暮らす不思議な女性に惹かれる大学生の鉄男。しかし次第に、他人とうまくつきあえない不安定な彼女に、疑問を募らせていき——。家族、そして母娘の関係に潜む闇を描いた傑作長篇小説。

落花流水　山本文緒

早く大人になりたい。一人ぼっちでも平気な大人になって、自由を手に入れる。そして新しい家族をつくる、勝手な大人に翻弄されたりせずに。若い母を姉と思って育った手毬の、60年にわたる家族と愛を描く。

なぎさ　山本文緒

故郷を飛び出し、静かに暮らす同窓生夫婦。夫は毎日妻の弁当を食べ、出社せず釣り三昧。行動を共にする後輩は、勤め先がブラック企業だと気づいていた。家事だけが取り柄の妻は、妹に誘われカフェを始めるが。

角川文庫ベストセラー

カウントダウン　山本文緒

岡花小春16歳。梅太郎とコンビでお笑いコンテストに挑戦したけれど、高飛車な美少女にけなされ散々な結果に。彼女は大手芸能プロ社長の娘だった！　お笑いの世界を目指す高校生の奮闘を描く青春小説！

シュガーレス・ラヴ　山本文緒

短時間、正座しただけで骨折する「骨粗鬆症」。恋人からの電話を待って夜も眠れない「睡眠障害」。フードコーディネーターを襲った「味覚異常」。ストレスに立ち向かい、再生する姿を描いた10の物語。

哀しい予感　吉本ばなな

いくつもの啓示を受けるようにして古い一軒家に来た弥生。そこでひっそりと暮らすおば、音楽教師ゆきの。彼女の弾くピアノを聴いたとき、弥生19歳、初夏の物語は始まった。

N・P　吉本ばなな

アメリカに暮らし、48歳で自殺した高瀬皿男の97本の短編集「N・P」。未収録の98話目を訳していた風美の恋人・庄司も自ら命を絶つ。激しい愛が生んだ奇跡を描く傑作長編。

キッチン　吉本ばなな

唯一の肉親であった祖母を亡くし、祖母と仲の良かった雄一とその母（実は父親）の家に同居することになったみかげ。日々の暮らしの中、何気ない二人の優しさに彼女は孤独な心を和ませていくのだが……。